Collection

la philosophie en effet

quatre

romans

analytiques

sarah kofman

quatre
romans
analytiques

éditions galilée

© Editions Galilée, 1973
9, rue Linné, 75005 Paris

ISBN-2-7186-0016-0

1004112090

« Si je dois faire naître, même de la part des amis de la psychanalyse et des experts, l'accusation d'avoir écrit seulement un roman psychanalytique (bloss einen psychoanalytischen Roman geschrieben habe), je répondrai que je suis loin de surestimer la certitude des résultats. »

FREUD, *Un souvenir d'enfance de Léonard de Vinci*
(G.W., VIII p. 207.)

du roman
analytique

Freud romancier

Les quatre essais qui suivent [1], textes greffés sur quatre lectures de Freud (*les poèmes* d'Empédocle, la *Judith* de Hebbel, la *Gradiva* de Jensen, *L'homme au sable* d'Hoffmann) constituent des réécritures des textes tuteurs. Poussant jusqu'au bout, le plus loyalement possible, l'interprétation freudienne, ils opèrent des déplacements tels qu'ils « surmontent », me semble-t-il, un type de lecture purement analytique.

Notre lecture des livres de référence de Freud a d'abord été guidée par le seul souci d'apporter un complément d'interprétation en pratiquant une analyse textuelle d'ensemble ; supplément de lecture nécessaire, puisque Freud dans tous les cas, avant de se livrer au travail interprétatif se borne à un résumé rapide de l'œuvre. Or le report au texte même, dans son intégralité, permet de comprendre que le résumé freudien n'est pas seulement destiné à rafraîchir la mémoire défaillante du lecteur mais qu'il a une fonction méthodologique bien déterminée,

---

1. Ces textes publiés sous forme d'articles au cours des cinq dernières années (*Freud et Empédocle* in *Critique*, juin 1969, *Judith* in *Littérature* octobre 1971, *Résumer, interpréter* (*Gradiva*) in *Critique* octobre 1972, *Le double e(s)t le diable* in *Revue française de psychanalyse* (janvier 1974) ont tous été ici remaniés.

13

qu'il est la condition de possibilité de l'interprétation en même temps qu'il en est le produit. Bien que Freud, en toute modestie, déclare ne rien modifier à l'œuvre de référence, mais « gloser » seulement sur un texte dont le commentaire serait fourni par l'auteur lui-même, faire une simple paraphrase qui éclairerait l'œuvre sans rien y ajouter ni retrancher, il semble que, de fait, ses lectures des œuvres de fiction soient à leur tour des fictions, de véritables « romans ». Mais Freud refuserait-il le titre de romancier ? C'est un roman, celui de Merzhkovsky [2] qui lui sert de référence essentielle pour la reconstruction du souvenir d'enfance de Léonard de Vinci ; et Freud, « loin de surestimer la certitude des résultats » ainsi obtenus, prévoyait que des « amis » de la psychanalyse l'accuseraient d'avoir écrit un « roman psychanalytique [2 bis] ».

Auteur de roman, Freud reconnaîtrait l'être pour le moins, puisqu'il va jusqu'à comparer les constructions analytiques aux délires de ses patients [3], puisqu'il déclare que des « préférences profondes » guident et dominent les spéculations les plus abstraites de la philosophie et de la science : celle-ci, offrant seulement des « exactitudes provisoires », est, à ses yeux, une simple mythologie. Bien plus : des raisons stratégiques auraient pu faire revendiquer par Freud le titre d'auteur de fiction : la notion de « roman analytique » pouvait être un auxiliaire précieux contre le dogmatisme de ces nouveaux croyants qui adhèrent à la psychanalyse comme à un nouveau catéchisme.

D'une façon plus générale, la modestie de Freud est toujours très grande [4] lorsqu'il juge de la valeur de vérité de sa méthode « appliquée » à un champ autre que celui de la pathologie, notamment à celui de l'esthétique. Par exemple *Le Moïse de Michel-Ange* a été écrit dans l'anonymat, parce que Freud pré-

---

2. Roman sélectionné par lui parmi les dix bons livres retenus dans sa réponse à un questionnaire sur la lecture. (cf. S.E. IX, p. 245, 1907).

2 bis. Lui-même avait intitulé d'abord *Moïse et le Monothéisme* *L'homme Moïse, un roman historique,* cf. *La correspondance avec A. Zweig,* lettre du 30/9/1934.

3. Cf. *Constructions en analyse.*

4. Cf. *L'Enfance de l'art,* ch. 1 (Payot 1970).

tend s'être livré, en amateur, à un simple badinage et douter encore plus que d'habitude des résultats obtenus [5].

Cependant les interprétations freudiennes des textes littéraires ne sont pas des romans parce qu'elles seraient seulement de simples hypothèses encore plus incertaines qu'à l'ordinaire (interprétations déficientes parce que manqueraient fondamentalement les associations de l'intéressé comme dans la cure) mais parce que, plus que des interprétations, détail par détail, d'un texte qu'elles laisseraient inchangé, elles sont des constructions d'un tout autre texte : des réécritures qui, entrelaçant les éléments de l'original dans la trame d'un tout autre tissu, les déplaçant dans un tout autre jeu, constituent des modèles, des fictions théoriques, qui transforment le texte initial, brut, en un fait scientifique de laboratoire, susceptible de se plier aux lois et aux catégories analytiques. Le roman analytique est *méthodique* (mais « il y a de la méthode en toute folie ») : méthode d'art ou de science qui procède par des raccourcis dangereux, des opérations de sélection et de torture des textes, démembrements, écartèlements, afin d'extraire une vérité cachée, dissimulée sous une beauté séductrice qu'il s'agit de dépouiller de ses charmes : intervention de tout un travail de traduction, de transformations formelles et sémantiques, opération violente qui a comme effet de « déformer, de mutiler et de défigurer » l'original, d'en livrer seulement une « dépêche tronquée » porteuse de la bonne nouvelle analytique : celle-ci met fin au délire et à l'indécision du texte, suscitant la bonne entente d'un sens enfin univoque.

Si Freud reconnaît le peu de certitude de la démarche scientifique et affirme l'identité — ou presque — de la science et

---

5. « Pourquoi ferai-je du tort à Moïse en lui accolant mon nom ? Il ne s'agit là que d'un badinage, mais qui n'est peut-être pas mauvais » (Lettre à Jones, 16 janvier 1914, cf Jones *La vie et l'œuvre de Freud* II, p. 389, 1968) « Le Moïse est anonyme, d'une part, par amusement, d'autre part parce que j'ai honte de son caractère dilettante évident, auquel on échappe difficilement dans les travaux pour *Imago* ; enfin parce que, plus que d'habitude encore, je doute des résultats et que je ne l'ai publié que pressé par la rédaction. » (*Lettre à Abraham*, 6 avril 1914). Il dit aussi dans une lettre à sa femme que le *Moïse* est un enfant « non analytique ».

de la fiction, en revanche il place bien haut l'auteur de fiction qu'il prend comme témoin de la vérité analytique qu'il connaîtrait obscurément, d'une connaissance endopsychique, apparenté en cela aux superstitieux, aux délirants, à certains primitifs, plus proche, à son insu, de la psychanalyse que ne le serait la science rationnelle ou la psychiatrie. Mais, dissimulée sous une fascination admirative, là encore opère la violence freudienne : la construction de fictions théoriques afin de rendre intelligible le texte littéraire est le complément nécessaire au rôle de preuve cruciale que Freud lui fait jouer à l'intérieur d'une méthode expérimentale dont elle n'est plus qu'un moment : la « fiction » freudienne est un « mensonge pieux », un appât pour mieux attraper la carpe vérité [6] : celle du texte littéraire qui doit confirmer celle de la psychanalyse. La violence consiste à faire de la beauté du romanesque un pur « effet » secondaire, destiné à disparaître, à être « relevé » dans le procès de la vérité analytique. Effet de séduction dont la fonction est celle d'un leurre et d'un narcotique, que le roman de la raison analytique prétend dissiper, privant du même coup le lecteur de la jouissance libre de ses fantasmes : fonction *cathartique* de la fiction analytique.

Si la transformation du texte était effectuée jusqu'au bout, les « effets » poétiques et rhétoriques enlevés comme autant de voiles, le langage métaphorique traduit en termes métapsychologiques, que resterait-il du texte littéraire ? Rien. Perte négligeable, puisque tous ces « effets » doivent disparaître au cours du développement de la vérité ; perte qui serait à déplorer seulement du point de vue de la fonction idéologique que la société fait jouer aux œuvres d'art : fonction d'illusion (illusion de l'art préférable pourtant aux autres illusions, notamment à l'illusion religieuse) grâce à laquelle l'homme peut s'adonner avec sérieux aux tâches de la civilisation : l'art constitue comme un lieu privilégié, une réserve de jeu au sein du monde culturel, où l'adulte, comme l'enfant autrefois, peut jouir sans scrupule de ses fantasmes, d'un plaisir « mêlé » puisque, dans la jouissance

---

6. Freud compare la construction analytique à « un appât de fausseté prenant une carpe vérité » (*Constructions en analyse*).

esthétique, les trois instances psychiques, toujours ailleurs en conflit, se trouvent réconciliées. C'est bien parce que l'art est un facteur de réconciliation qui camoufle le « malaise de la civilisation » et contribue par là même à le maintenir, que la société fait de l'artiste l'égal d'un dieu. Privilégié l'artiste l'est pour Freud, non parce qu'il serait pourvu de « dons » créateurs par une bonne nature, mais parce qu'il serait capable, plus que tout autre, de jouir et de procurer du plaisir : privilégié d'un point de vue *économique,* l'artiste, du même coup, acquiert la faveur de l'humanité. Le roman analytique a une fonction démystificatrice, il accomplit le meurtre de l'auteur comme père de l'œuvre, il dénonce le contrat de plaisir implicite noué entre l'artiste et le public. Pourtant, si d'un côté Freud fait éclater l'illusion, d'un autre, il semble considérer l'illusion de l'art comme nécessaire à la plupart et comme préférable à toute autre : seule une élite est capable d'humour, humour qui permet, sans illusion, de supporter « l'oppression trop lourde de la vie », de reconnaître qu'il n'y a pas d'opposition entre le jeu et le sérieux, que le sérieux lui-même est jeu [7]. De plus, on peut se demander s'il suffit de rendre intelligible une œuvre d'art pour supprimer la décharge d'affect qu'elle est censée provoquer, si l'intelligibilité, au lieu de mettre fin au plaisir ne contribue pas à le renforcer : « Ce sont justement quelques-unes des plus grandioses et des plus imposantes œuvres d'art qui restent obscures à notre entendement. On les admire, on se sent dominé par elles, mais on ne saurait dire ce qu'elles représentent pour nous. Je n'ai pas de lecture pour savoir si cela fut déjà remarqué ; quelque esthéticien n'aurait-il pas même considéré un tel désemparement

---

7. « Quand l'enfant a grandi et qu'il a cessé de jouer, quand il s'est pendant des années psychiquement efforcé de saisir les réalités de la vie avec le sérieux voulu, il peut arriver qu'il tombe un beau jour dans une disposition psychique qui efface à nouveau cette opposition entre jeu et réalité. L'homme adulte se souvient du grand sérieux avec lequel il s'adonnait à ses jeux d'enfant et il en vient à comparer ses occupations soi-disant graves à ces jeux infantiles : il s'affranchit alors de l'oppression par trop lourde de la vie et il conquiert la jouissance supérieure de l'*humour.* » (*La création littéraire et le rêve éveillé,* NRF p. 71.)

de notre intelligence comme étant une condition nécessaire des plus grands effets que puisse produire une œuvre d'art ? Cependant j'aurais peine à croire à une condition pareille [8]. »

Le plaisir qui s'ajouterait alors au plaisir esthétique ou qui viendrait s'y substituer serait celui de la connaissance : au plaisir commun du fantastique, Freud adjoint celui de résoudre les énigmes que sont pour lui les œuvres d'art, plaisir de saisir, détail par détail, les liens entre une « création » apparemment arbitraire et la réalité quotidienne ou le passé de l'artiste. Mais ce plaisir ne peut être obtenu que par la médiation de la fiction théorique qui établit comme après coup une harmonie entre l'œuvre et les catégories analytiques. La fantastique de Freud qui se joue dans ses « romans » ne serait-elle pas dirigée par le désir de ce bénéfice supplémentaire ? Par le désir de voir la fiction littéraire corroborer la vérité analytique ? Et derrière ce désir, ne faut-il pas voir à l'œuvre un fantasme de maîtrise et de réappropriation des prédécesseurs, un roman familial qui reconnaîtrait à ceux-ci leurs privilèges pour mieux les en dépouiller ? Fantasme qui maintient l'auteur de fiction dans un état d'enfance, condamné à balbutier, jusqu'à ce qu'il soit pris en tutelle par le père de la psychanalyse.

« Tout particulièrement des enfants tards venus (...) (comme dans toutes les intrigues historiques) dépouillent, par des fictions de ce genre, leurs prédécesseurs de leurs privilèges [9]. »

Freud et la philosophie

Le roman familial par lequel Freud fait de la littérature l'enfance de la psychanalyse, ne lui est pourtant pas personnel : il répète celui forgé par toute la métaphysique occidentale. Son

---

8. *Le Moïse de Michel-Ange*, p. 10 (N.R.F.)
9. *Le roman familial des névrosés* (in *Névrose, perversion, psychose*) P.U.F. 1974.

geste communique avec le geste de maîtrise, symptomatique de la philosophie, inauguré par Aristote faisant du mythe l'enfance de la philosophie.

Il est vrai que les textes freudiens ne sont pas simples, qu'ils doivent être lus avec prudence ; comme nous l'avons fait dans *l'Enfance de l'art* [10], en distinguant ce que Freud *fait* de ce qu'il *dit,* on s'aperçoit qu'ils contribuent à la déconstruction de la métaphysique ; ces mêmes textes pourtant rencontrent ceux de toute la tradition philosophique, et peuvent, d'un point de vue généalogique, être qualifiés de *philosophiques.* Notamment la lecture de Freud des textes littéraires dont le point de départ est toujours l'effet ou l'affect éprouvé pour remonter, selon la méthode analytique, à la cause explicative, la représentation refoulée (à découvrir ou à construire), est une lecture thématique, tributaire de l'opposition de la forme et du contenu, des catégories métaphysiques de vérité et de mensonge, de ce qu'on appelle la « logique traditionnelle du signe » ; elle implique la même conception de l' « effet » que celui que la philosophie prétend justement réduire ou laisser tomber.

Afin de souligner le croisement de la psychanalyse et de la philosophie, il nous paraît intéressant de faire précéder nos essais d'un bref rappel de la lecture que fait Aristote des présocratiques : lecture paradigmatique de toute lecture philosophique, entérinée et répétée par les philosophes (entre autres par Hegel) jusqu'à Nietzsche. Il a fallu attendre ce dernier pour avoir des premiers philosophes une autre conception que celle consacrée par Aristote, pour montrer qu'ils sont d'un type rare, irréductible à tout autre, « en les peignant mille fois sur les murs » afin de reconstituer leur image défigurée par toute la tradition.

---

10. Dans ce premier ouvrage sur Freud nous avons, pour des raisons polémiques, davantage insisté sur l'aspect déconstructeur de Freud : certaines lectures, très partielles avaient vite fait de le classer parmi les métaphysiciens « petits bourgeois ». Notre lecture actuelle ne contredit pas la première mais marque davantage l'hétérogénéité du texte freudien.

Aristote et les "présocratiques"

> « Aristote est la source la plus riche.
> Il a fait des anciens philosophes une étude
> délibérée et fondamentale ; au début de sa
> *Métaphysique* surtout (souvent ailleurs éga-
> lement) il en a traité historiquement et dans
> l'ordre. Il est autant philosophe qu'érudit ;
> nous pouvons nous en rapporter à lui.
> Pour connaître la philosophie grecque, il
> n'y a rien de mieux à faire que de se
> mettre à étudier le premier livre de sa
> *Métaphysique.* »
>
> HEGEL, *Leçons sur l'Histoire de la
> philosophie,* 1, p. 37 (Vrin) [11]

> « Entre le grand homme du concept,
> Aristote, et les mœurs et l'art des Hellé-
> nes, il subsiste un gouffre immense. »
>
> NIETZSCHE, *La naissance de la
> philosophie* p. 17 (N.R.F.)

Dans le livre A de *La Métaphysique,* Aristote opère une
lecture de ses prédécesseurs (des « présocratiques » mais aussi bien
de Platon, il faudrait dire ici des « préaristotéliciens ») dont toute
la philosophie occidentale a été l'héritière et que l'on peut qualifier
de « réductrice » car elle consiste à apprécier « ce que les doctrines
des anciens philosophes et de leurs successeurs contiennent de
bon et de mauvais » et à se demander quelle part peut en être
« retenue » eu égard à la vérité aristotélicienne. La « réduction »
consiste à *prendre* (λαμϐάνειν (lambanein), cf. 985 ab, 986 b,
987 a) aux « présocratiques » ce qu'Aristote lui-même reconnaît
par ailleurs être imprenable : leur génialité, leur originalité qui se

---

11. Par exemple l'étude d'Empédocle consiste à cumuler les citations d'Aristote, référent dernier et premier, dont il approuve toutes
les conclusions (cf. p. 178 9).

marque dans le style métaphorique de leurs textes. Or « exceller dans les métaphores, c'est la seule chose qu'on ne peut pas prendre à autrui et c'est un indice de dons naturels[12] ». Comme il subordonne la métaphore au concept, Aristote soumet ses prédécesseurs à son autorité : entreprise de maîtrise analogue à celle que *la Politique* déclare naturelle, que le maître opère sur l'esclave, le père sur l'enfant, le mâle sur la femelle, le grec sur le barbare. Mais il y a là plus qu'une analogie : d'une part le concept, comme sens propre opposé au sens figuré, se dit χυρίον-*(kurion)*, « propriété d'un nom utilisé dans son sens dominant, dans son maître-sens, dans son sens capital[13] » maître-mot qui domine les sens dérivés ou seulement métaphoriques. D'autre part, seuls le maître, le père, l'homme, le Grec ont le droit à la parole, au logos : la hiérarchie ontologique, fonction de la réalisation plus ou moins achevée de la forme substantielle de l'essence, qui va de la plante à Dieu en passant par l'animal et l'homme, et à l'intérieur du monde humain, de l'esclave au philosophe, en passant par le barbare, la femme et l'enfant, est parallèle à une hiérarchie dont le critère est la possession ou non de la raison et du pouvoir de parole : au sommet, le philosophe chez qui la raison est à son degré d'achèvement le plus accompli ; au plus bas, la plante et l'animal dépourvus de parole ; entre les deux, l'esclave, dont la parole est répétition de celle du maître ; le barbare qui « coasse », l'enfant qui balbutie, et la femme dont la vertu par excellence est la réserve de parole[14]. Si, à l'intérieur de la hiérarchie, il y a des êtres dont l'infériorité est indélébile, essentielle, comme celle de la femme, par contre d'autres ont seulement une infériorité provisoire : l'enfant mâle est un homme en puissance, son balbutiement est en germe un langage d'homme ; l'enfant est un petit homme. De même le langage métaphorique ou mythique, langage de l'enfance, est un langage philosophique

---

12. *Poétique* 1459a. cf. aussi *Rhétorique* III, ch. II. Pour le statut de la métaphore chez Aristote cf. J. Derrida, *La Mythologie blanche* in *Marges de la philosophie* p. 274 et sq. (Minuit).

13. Cf. Derrida, *opus cit.* p. 294. Derrida distingue dans la même page χυριòν et ìδίον.

14. Cf. *La Politique* 1259b, 1277b, 1260a.

21

en puissance : la métaphore, quoique imparfaitement, figure déjà le concept. Comme l'enfant est la matière de l'homme futur, puissance indéterminée de contraires que seule la forme détermine et actualise, ainsi le langage métaphorique, celui de l'aurore de la philosophie, est une matière indéterminée qui ne peut recevoir un sens clair et précis que du langage philosophique conceptuel qui l'informe. Si, chronologiquement (du moins en un sens [15]), puissance et matière son antérieures à l'acte et à la forme, ontologiquement l'acte et la forme sont premiers, commandent et maîtrisent, donnent seuls sens déterminé à ce qui leur précèdent.

Ainsi la pensée philosophique, dans son enfance, devait commencer par balbutier dans un langage métaphorique. Ce qui veut dire, à la fois, que ce dernier est inférieur au langage conceptuel qui seul élève à l'acte la vérité qu'il détient en puissance ; mais aussi qu'il est déjà une forme de vérité, une vérité en puissance, confuse, obscure, qui recèle un logos caché, non articulé. L'écriture originale, métaphorique, loin d'être, comme elle l'est pour Nietzsche, un symptôme d'une vie affirmative, florissante et pleine, est signe d'un manque de maturité, d'un état d'inachèvement auroral qui, pourtant, détient déjà en germe la vérité aristotélicienne. La métaphore est le propre de l'homme, parce qu'elle est déjà un sens qui mime analogiquement le sens vrai : « La métaphore en effet ne va pas sans procurer une certaine connaissance de la chose signifiée (tó sémainoménon) en raison de la ressemblance qu'elle établit » (*Topiques*, VI, 2, 139 b-140 a). De même le mythe a une visée de connaissance et « l'amour des mythes est en quelque manière amour de la sagesse » (καὶ ὁ φιλόμυθος φιλσοφὸς πώς ἐστιν) (Mét. A. 982). L'opé-

---

15. En un sens, l'acte est, selon le temps, antérieur à la puissance, mais en un autre il ne l'est pas : « A tel homme déterminé, qui est déjà en acte, au froment, au sujet voyant, sont respectivement antérieures selon le temps, la matière, la semence, la faculté de voir, toutes choses qui ne sont homme, froment et sujet voyant qu'en puissance, et non encore en acte ; mais à ces puissances elles-mêmes sont antérieurs selon le temps d'autres êtres en actes dont elles procèdent, car d'un être en puissance, un être en acte est toujours engendré par un autre être en acte ». (*Met.* θ. 8 1049 a.)

ration de maîtrise consiste à déclarer que les prédécesseurs ne sont intéressants que parce qu'ils annoncent et confirment comme par avance la vérité aristotélicienne. Tout le reste est littérature creuse. La violence consiste à imposer au mythe et à la métaphore l'archè de la philosophie et du logos, à absorber l'originalité de chaque philosophe dans l'identité de la philosophie aristotélicienne.

D'où, des prédécesseurs une double évaluation : ils étaient nécessaires, il fallait passer par eux, et il faut les étudier avec sérieux comme il faut faire l'examen des opinions communes, plus ou moins cohérentes car elles recèlent une certaine vérité. Mais, sans le savoir achevé qui transforme un langage confus et polysémique en un langage clair et univoque, ils restent incomplets : la polysémie, par l'excès de sens qu'elle détient, équivaut à l'absence de sens. Dire plusieurs sens, revient à ne rien dire en propre, à être comme un végétal : « Il est possible d'établir par réfutation l'impossibilité que la même chose soit et ne soit pas pourvu que l'adversaire dise seulement quelque chose. S'il ne dit rien, il est ridicule de chercher à discuter avec quelqu'un qui ne peut parler de rien ; un tel homme en tant que tel est dès lors semblable à un végétal. » (Mét. Γ 100 ba). Le langage vrai, philosophique, doit dire un seul sens, le sens propre. Ainsi Platon en usant de la métaphore poétique qu'est le terme de *participation* a parlé pour ne rien dire. C'est un mot vide de sens par lui-même, matière, femelle qui attend que le mâle vienne la remplir, la dominer en l'asservissant au sens propre, à son sens, au maître sens ou au sens du maître : « Dire que les idées sont des paradigmes et que les autres choses participent d'elles, c'est se payer de mots vides de sens et faire des métaphores poétiques. » (A9, 991a.)

Entre le savoir en acte et le savoir en puissance, il y a à la fois continuité et rupture. Continuité puisque le premier est l'aboutissement du second, achèvement de son incomplétude. Rupture, parce qu'entre les premiers et le dernier degré de la hiérarchie, il n'y a aucune commune mesure, il y a un véritable saut qualitatif. Le sens vrai, qui impose sa loi (le nóus est le nómos) s'éclaire lui-même sans avoir besoin des degrés inférieurs qui, dans une certaine mesure, ont pourtant été sa condition. Ainsi la philosophie, partie du système de la connaissance et son sommet, est en même temps, le tout de la connaissance, la seule connaissance digne de ce nom et qui impose aux autres son nom. Les autres sciences, plus que des espèces de la philosophie sont de simples moyens au service de l'archè philosophique. Ce qui domine n'est pas dans un rapport de genre à espèces avec ce qu'il domine. Entre la philosophie et ce qui lui est subordonné, il n'y a pas d'unité générique comme il n'y a pas d'unité générique entre les différentes parties de l'âme ni nulle part où il y a hiérarchie et quelque chose comme un rapport antérieur/postérieur.

Cependant, seule la divinité, pensée qui se pense elle-même, détient le savoir en acte ; seule, elle est philosophe accompli et maître absolu. Parce qu'Aristote, pas plus qu'un autre philosophe, aussi proche de la divinité fût-il n'est pas Dieu, il n'a lui-même qu'un savoir en puissance et a besoin de prédécesseurs qui témoignent en faveur de sa vérité ; prédécesseurs auxquels il peut toujours « prendre [16] » quelque chose car, en tant qu'hommes, tous, en quelque manière, disent déjà la vérité : l'état spécifique de l'homme, c'est d'être ni un ignorant ni un savant mais un savant en puissance et c'est cette situation intermédiaire qui explique qu'il y ait une histoire de la philosophie et que celle-ci soit comprise comme l'évolution d'un germe initial selon un modèle biologique : « Nul ne peut atteindre la vérité adéquatement ni la manquer tout à fait. Chaque philosophe trouve à dire quelque chose sur la nature (...) (et) l'assemblage de toutes les réflexions produit de féconds résultats. » (début du livre   ).

Faire de l'histoire de la philosophie consiste donc à mettre en lumière la vérité enfouie obscurément chez les prédécesseurs, à l'articuler, en l'élevant de l'enfance à l'âge adulte : loin d'accu-

---

16. « De ces deux écoles tout ce que nous pouvons donc retenir (λαϐέιν) c'est que les contraires sont les principes des êtres et l'une d'elles peut même nous renseigner sur le nombre et la nature de ces principes. Mais quant à la façon dont il est possible de les ramener à l'unité c'est ce qui n'a pas été nettement articulé (σαφῶς μὲν οὐ διήρθρωται) par ces philosophes. » (A 986b) et aussi 987a.

ser Aristote de leur dérober ce qu'ils ont d'imprenable, les premiers philosophes, s'ils le pouvaient, lui rendraient grâce d'hausser leurs écrits à un tel niveau.

C'est à l'aide de trois métaphores qui font système entre elles qu'Aristote, paradoxalement, « éclaire » le rapport qu'il instaure entre lui-même et les présocratiques.

Métaphore de la lumière : « Tout ce qui se dit par métaphore est obscur (ἄσαφες) ». Obscurité des premiers philosophes parce qu'ils *touchent* la vérité plus qu'ils ne la *voient,* parce que les sens multiples des termes métaphoriques se trouvent mêlés en un contact intime, copulent entre eux, sans que l'œil philosophique ne soit encore intervenu pour imposer sa loi au chaos, pour établir une distance discriminatrice. Entre la philosophie aristotélicienne et celle des « présocratiques » règne la même différence qu'entre un sens noble dont l'idéal est d'être « théorie » pure et un sens servile habitué à opérer au contact de la matière. Ou encore la vue des présocratiques est comparable à celle de la chauve-souris alors que le philosophe posséderait l'œil perçant du lynx, un regard pénétrant, une vue portée à son achèvement : connaître, ce n'est pas opérer dans la matière en se servant d'outils, c'est distinguer. Tâche noble dont la condition est pourtant le travail de l'esclave. Passer d'une philosophie métaphorique à une philosophie conceptuelle, c'est donc passer de l'obscurité à la clarté, du confus au distinct. Mais l'absence de distinction renvoie au chaos originaire où toutes choses sont mêlées : état d'enfance de la philosophie au cours duquel les philosophes à la fois disent et ne disent pas la vérité (par exemple que le bien est cause cf. 988b). La métaphore de l'enfance accompagne toujours celle de l'obscurité : passer de l'obscurité à la lumière c'est acquérir l'œil de l'esprit, œil de l'adulte introduisant la loi discriminatrice qui dompte simultanément les désirs infantiles et la confusion des sens.

« Cette étude nous a permis de faire une constatation importante : c'est que nul de ceux qui ont traité du principe et de la cause n'a rien énoncé qui ne puisse rentrer dans les causes que nous avons nous-mêmes déterminées dans la *Physique ;* tous obscurément (ἀμυδρῶς d'une façon non articulée) il est vrai, paraissent avoir comme pressenti (θιγγάνοντες touché, tâté) quelqu'une d'entre elles. » (988a.)

« Que les causes que nous avons énumérées dans la *Physique* soient celles-là mêmes que tous les philosophes ont, semble-t-il, cherchées, et qu'en dehors de ces causes nous n'en puissions nommer d'autres, les considérations qui précèdent le montrent avec évidence. Mais jusqu'ici ces principes n'ont été indiqués que d'une manière indistincte. On peut dire en un sens qu'ils ont été énoncés avant nous, en un autre sens, qu'aucun d'eux ne l'a été. La philosophie des premiers temps du fait qu'elle est jeune encore et à ses débuts semble en effet, balbutier sur toutes choses. » (A, 10, 993a.)

Mais l'œil de l'adulte, aussi parfait soit-il, n'est pas l'œil de Dieu : la clarté ne peut se faire que par la contribution des lumières de chacun qui s'ajoutent les unes aux autres, comme le peintre ne peut réussir un beau portrait qu'en ayant recours à plusieurs modèles, comme la vérité politique résulte de la consultation de la multitude . isolément aucun homme n'est beau, aucun homme ne détient la vérité. L'idéal du philosophe serait d'être un Argus aux mille yeux : « La théorie de la vérité est en un sens difficile et, en un autre sens, facile. Ce qui le prouve, c'est que nul ne peut l'atteindre adéquatement ni ne la manquer tout à fait. Chaque philosophe trouve à dire quelque chose sur la nature ; en lui-même cet apport n'est rien sans doute ; ou peu de chose pour la vérité, mais l'assemblage de toutes les réflexions produit de féconds résultats. De sorte qu'il en est de la vérité, semble-t-il, comme de ce qu'il nous arrive de dire en proverbe : « Qui manquerait une porte ? ». Mais le fait que nous pouvons posséder une vérité dans son ensemble et ne pas atteindre la partie précise que nous visons, montre la difficulté de l'entreprise. Peut-être aussi comme il y a deux sortes de difficultés, la présente difficulté prend-elle sa source non dans les choses mais en nous-mêmes. Ce que les yeux des chauves-souris sont en effet à l'éclat du jour, l'intelligence de notre âme l'est aux choses qui sont de toutes les plus naturellement évidentes. Il est donc juste de nous montrer reconnaissants non seulement pour ceux dont on peut partager les opinions mais encore pour ceux qui ont exprimé des vues plus communes ; même ces derniers nous ont apporté leur contribution car ils ont développé notre faculté de penser. S'il n'y avait pas eu de Timothée, bien des mélodies nous auraient manqué ; mais sans Phrynis, Timothée lui-même n'eût pas existé. Il en est de même de ceux qui ont exposé leurs vues sur la vérité : de plusieurs philosophes nous avons reçu certaines doctrines, mais ce sont les autres philosophes qui ont été la cause de la venue de ces derniers. Au surplus ce n'est pas autrement que les hommes d'une vertu éprouvée diffèrent de chacun des individus composant une foule, cette différence est de même sorte que celle qu'on reconnaît entre les beaux hommes et les hommes sans beauté, et entre les peintures faites par art et leurs modèles originaux. Elle consiste en ce que les éléments disséminés çà et là ont été réunis sur une seule tête, puisque considérés du moins à part, l'œil d'une personne en chair et en os, ou quelque organe d'une autre personne, sont plus beaux que l'œil ou l'organe dessiné. » (993b.)

« La multitude composée d'individus qui, pris séparément sont des gens sans valeur, est néanmoins susceptible, prise en corps, de se montrer supérieure à l'élite de tout à l'heure, non pas à titre individuel mais à titre collectif : c'est ainsi que les repas où les convives apportent leur écot sont meilleurs que ceux dont les frais sont supportés par un seul. Dans une collectivité d'individus, en effet, chacun dispose d'une fraction de vertu et de sagesse pratique, et une fois réuni en corps, de même qu'ils deviennent en quelque manière un seul homme pourvu d'une grande quantité de pieds, de mains et de sens, ils acquièrent aussi la même unité en ce qui regarde les facultés morales et intellectuelles. C'est la raison encore pour laquelle la multitude est meilleure juge des œuvres des musiciens et celle des poètes. Car l'un juge une partie de l'œuvre, l'autre une autre et tous jugent le tout. » (*La Pol.* III 1281b.)

Aux métaphores de l'obscurité et de l'enfance, Aristote, adjoint celle du soldat mal exercé : « Les philosophes, disons-nous, ont évidemment atteint jusqu'ici deux des causes que nous avons distinguées dans la *Physique*, à savoir la matière et les principes du mouvement. Seulement ils l'ont fait d'une manière indistincte et non claire (ἀμυδρῶς καὶ οὐθὲν σαφῶς) comme dans les combats se conduisent les soldats mal exercés, qui portent souvent d'heureux coups, sans que la science y soit pour rien : de même ces philosophes ne semblent pas savoir ce qu'ils disent, car on ne les voit presque jamais ou peu s'en faut recourir à leurs principes. » (A4 985a.)

Si l'enfance de la philosophie est dans un état d'obscurité c'est que la pensée ne s'est pas encore suffisamment exercée : la pensée est à la fois un don de nature et le résultat d'un apprentissage. L'histoire est le champ d'exercice de l'intellect où il apprend à se développer et à devenir lui-même, à prendre conscience de lui, à passer de la puissance à l'acte. Il en est de la pensée comme de la vertu : à la fois naturelle et résultat d'une habitude. Parce qu' « une hirondelle ne fait pas le printemps [17] », c'est en forgeant que l'on devient forgeron [18], c'est à force de penser que l'on devient penseur : cet exercice nécessaire à la maîtrise de la pensée par elle-même est la part d'esclavage inéliminable du fait que l'homme est un homme et non un dieu.

Parce que les premiers penseurs « ne savent pas ce qu'ils disent », par ce qu'ils détiennent la vérité à leur insu, il est nécessaire d'interpréter leurs textes, d'en extraire la vérité cachée ou de l'y introduire, en réduisant l'équivocité du sens à un sens univoque, en éliminant tout ce qui ne relève pas de cette vérité comme reste négligeable, infantile. Il n'est pas étonnant, dès lors, après un tel forçage, de trouver dans les textes de ses prédécesseurs la confirmation de la vérité de sa propre pensée. En s'abritant derrière l'obscurité et l'état d'enfance des premiers penseurs, il devient loisible à Aristote de distinguer ce qu'ils ont dit de « ce qu'ils voulaient dire » ou de ce qu'ils auraient dit s'ils avaient eu les concepts aristotéliciens, et de glisser dans cet écart sa propre pensée qu'il prétend pourtant y découvrir, toujours déjà là, en attente. « Nous avons traité de tous ces points par ailleurs avec plus de précision. Mais si nous y revenons, c'est pour apprendre de ces philosophes aussi ce qu'ils posent comme principes et com-

---

17. Cf. *L'Ethique à Nicomaque* I, VII.
18. Ibid., II, 1.

ment leurs principes tombent sur les causes que nous avons déjà énumérées. » (986a.)

« L'exactitude de notre analyse des causes, tant en ce qui concerne leur nombre que leur nature est donc confirmée semble-t-il par le témoignage de tous ces philosophes, en raison de leur impuissance à atteindre une autre cause. » (986b.)

« On pourrait supposer qu'il (Anaxagore) reconnaît deux éléments et cette supposition s'accorderait au mieux avec cette raison que lui-même n'a pas articulée, mais à laquelle il se fût inévitablement ralliée, si on l'y avait amené (...). Si on suivait le raisonnement d'Anaxagore en formulant distinctement ce qu'il a l'intention de dire, sans doute sa pensée paraîtrait-elle plus moderne. » (989b.)

« Il (Empédocle) se fut inévitablement rendu à ces raisons si on les lui eût présentées, mais il ne s'est pas lui-même exprimé clairement (σαφῶς). » (993a.)

Abus de force sur des textes dont les pères ne sont plus là pour prendre la défense : par là, Aristote reconnaît que l'écriture est une orpheline mais c'est pour immédiatement la soumettre à sa tutelle en réinscrivant les textes de ces prédécesseurs dans le procès de la vérité aristotélicienne qui est l'archè, la cause finale de tout le développement : le père, détenteur de la vérité, est à la fin mais oriente et commande tout le processus : « Après eux, comme de tels principes une fois découverts se révélaient encore insuffisants pour engendrer la nature des êtres, des philosophes, contraints de nouveau, ainsi que nous l'avons dit par la vérité elle-même, cherchèrent un autre principe causal. » (984b.)

« Tant il fallait qu'il se trouvât dans les êtres une cause capable de donner le mouvement et l'ordre aux choses. » (985a.) « Parménide, persuadé que, hors de l'Etre le non-être n'est pas, pense nécessairement qu'une seule chose est, à savoir l'Etre lui-même et qu'il n'existe rien d'autre (c'est là un point que nous avons exposé plus clairement dans la *Physique*), mais contraint de s'incliner devant les faits, d'admettre à la fois l'unité formelle et la pluralité sensible, il en vient à poser deux causes, deux principes. » (986b.)

Ainsi Aristote inaugure une conception de l'histoire de la philosophie, de l'histoire, dont est tributaire toute la métaphysique : l'histoire est toujours, pour elle, l'histoire de la vérité, de son développement, de la « relève » d'un philosophe par un autre, d'un soldat mal exercé par un autre qui l'est davantage. Mais parce qu'aucun philosophe n'est Dieu, la rupture entre le logos et le mythe n'est jamais achevée, le philosophe reste toujours un peu un « menteur », un peu un poète (cf. 983a). L'opposition du mythe et de la philosophie, de la métaphore et du concept n'a pu être marquée par Aristote lui-même que grâce à un ensemble de métaphores et « toute cette délimitation philosophique de la métaphore se laisse déjà construire et travailler par des métaphores ». La « théorie » est une simple métaphore et le langage philosophique reste un langage analogique. Seule la divinité, si elle parlait, parlerait proprement : mais aussi bien, elle ne parle pas (le logos est le propre de l'homme, de l'animal politique), mais se contemple narcissiquement, pensée se pensant elle-même à l'infini.

Les métaphores d'Aristote constituent comme un second texte dans le texte qui sape par en dessous l'autorité et le sérieux du premier, y introduisant du jeu. La tradition philosophique ultérieure semble n'y avoir guère été sensible, semble même avoir occulté ce jeu, elle qui répète avec le plus grand sérieux la lecture que fait Aristote des présocratiques et qui, d'une façon générale, se réclame de son autorité (contre-investissement au refoulé de la philosophie ?), allant plus loin encore que lui dans le geste de maîtrise.

---

19. cf. J. Derrida, *opus cit.* p. 301.

Freud
et
Empédocle

« Empédocle est plus poète que vraiment philosophe ; il ne présente pas grand intérêt. »

HEGEL, *Leçons sur l'histoire de la philosophie* (I, p. 184, Vrin)

« C'est un vrai malheur que nous n'ayons conservé que si peu de textes de ces premiers maîtres de la philosophie et qu'ils ne nous soient parvenus qu'à l'état de fragments (...). On admet quelquefois qu'il y a une destinée pour les livres (...), mais ce doit être un destin malveillant qui a jugé bon de nous soustraire Héraclite, le merveilleux poème d'Empédocle. »

NIETZSCHE, *La naissance de la philosophie* (p. 39, N.R.F.)

« J'ai eu beaucoup de plaisir à retrouver récemment notre théorie chez un des grands penseurs de l'Antiquité grecque. Empédocle d'Akragas (Agrigente) né vers 495 av. J.-C. nous apparaît comme l'une des plus grandes et des plus surprenantes figures de la civilisation hellénique. »

FREUD, *Analyse terminée et analyse interminable* (G.W. XVI, p. 91)

Une séduisante analogie

Il peut paraître paradoxal d'établir une comparaison entre Freud et Empédocle, philosophe grec du ve siècle av. J.C. (495 av. J.-C.). Le rapprochement n'est pourtant pas arbitraire car c'est Freud lui-même qui l'instaure. Il est séduit [1] par la personnalité du philosophe qu'il déclare être « une des figures les plus

---

1. Empédocle exerça également une forte séduction sur Hölderlin et surtout sur Nietzsche qui le place à côté de Gœthe et de Spinoza, au rang de ses ancêtres. (*La Naissance de la philosophie* N.R.F. p. 19).

surprenantes de l'Antiquité » (*Analyse terminée et analyse interminable*) [2] et conquis par sa doctrine, comme il l'exprime à plusieurs reprises dans ses dernières œuvres, en particulier dans *Les nouvelles conférences,* dans l'*Abrégé de psychanalyse,* et surtout dans *Analyse terminée et analyse interminable.* Dans *Les nouvelles conférences* exposant sa nouvelle théorie des pulsions, il esquisse un rapprochement avec Schopenhauer dont le vouloir-vivre lui rappelle la pulsion de vie, le divorce essentiel de la volonté avec elle-même, les pulsions de mort. Freud ajoute alors : « D'ailleurs, tout n'a-t-il pas été dit déjà et bien avant Schopenhauer n'a-t-on pas émis des idées semblables ? » Si la référence à Empédocle n'est pas ici explicite, un texte de Schopenhauer ôte tout doute à cet égard : « car si la haine n'était pas dans le monde, toutes choses n'en feraient qu'une comme dit Empédocle ». (*Le monde comme volonté et comme représentation.*)

Dans le chapitre II de l'*Abrégé de psychanalyse,* c'est encore lorsqu'il expose la théorie des pulsions, leur but et leur fonctionnement en biologie et qu'il en propose une extension dans le domaine physique que Freud, dans une note, écrit : « Le philosophe Empédocle d'Agrigente avait déjà adopté cette façon de considérer les forces fondamentales ou pulsions, opinion contre laquelle tant d'analystes s'insurgent encore. »

Dans *Analyse terminée et analyse interminable,* Freud déplore la difficulté qu'il rencontre d'imposer même aux psychanalystes la nouvelle notion qu'est la pulsion de mort et se déclare heureux de la trouver déjà chez Empédocle. La similitude de leur doctrine lui semble telle qu'il invoque un phénomène de cryptamnésie et qu'il écrit : « On pourrait même être tenté de tenir les deux théories pour identiques », et, plus loin : « Les deux principes fondamentaux d'Empédocle, « φιλία » et « νεῖκος » sont, par le nom, comme par la fonction, les équivalents de nos deux pulsions primitives (Urtriebe) Eros et la destruction. L'un s'efforce d'englober en des unités toujours plus vastes tout ce qui est, l'autre

---

2. *Revue franç. de psychanalyse* II. 1939, (G.W. XVI, p. 91.) Traduction parfois modifiée par nous.

cherche à dissocier les combinaisons et à détruire les structures (Gebilde) qu'a édifiées Eros. » Néanmoins, il lui semble normal que la théorie d'Empédocle, lors de « sa réapparition au bout de 2 500 ans » ait subi des modifications. La plus importante réside dans la transformation du statut de la vérité du discours : mythique chez Empédocle (Freud appelle la doctrine du savant grec une « fantaisie cosmique »), elle se veut scientifique chez Freud. De plus, l'extension de la doctrine empédocléenne se trouve restreinte par Freud du domaine cosmique à un champ biopsychique. Freud ne peut plus admettre tout le contenu des affirmations empédocléennes. Les quatre éléments (la terre, l'eau, le feu, l'air) ne peuvent plus être tenus pour des substances fondamentales ; la matière vivante n'est pas identique à la matière inanimée ; il n'y a pas mélange et séparation des particules de matière, mais jonction et désintrication des composantes pulsionnelles. Enfin, Freud prétend apporter un fondement biologique à la dualité des principes cosmiques empédocléens, en particulier au principe de discorde « en ramenant la pulsion de destruction à la pulsion de mort et à la poussée vers l'inanimé de tout ce qui vit ». Mais certaines de ces différences peuvent être réduites. Le Cosmos empédocléen est, quoique immortel, un vivant conçu sur le modèle des êtres vivants, et les deux principes universels éternellement en lutte l'un contre l'autre, qui gouvernent toute chose, l'amour et la haine, ne sont ni des forces intelligentes ayant un but conscient, ni des forces mécaniques, elles sont analogues aux pulsions biopsychiques. Ces forces, dit Freud, sont des « forces naturelles agissant comme des pulsions ». Par ailleurs, Freud, en formulant l'hypothèse de l'universalité de la pulsion de mort qui existerait même antérieurement à la vie, et qui se manifesterait dans les phénomènes physiques de répulsion des corps par exemple, élargit sa propre doctrine à un niveau cosmique. La réduction du cosmique au biologique chez Empédocle et l'extension hypothétique de la doctrine freudienne du biopsychique au cosmique rapproche encore les deux doctrines, et Freud d'en conclure : « Ainsi la doctrine d'Empédocle aurait encore un noyau de vérité plus grand. »

Le privilège du mythe

Mais pourquoi Freud insiste-t-il ainsi sur ce lien avec Empédocle ? est-ce seulement parce que, alors que sa nouvelle théorie des pulsions provoque une certaine résistance autour de lui, il puise un certain réconfort à la trouver exprimée ailleurs, ou est-ce par souci d'honnêteté intellectuelle ? A plusieurs reprises, en effet, il dit qu'il ne tient ni à la priorité ni à l'originalité de sa doctrine et qu'on peut déjà la voir formulée chez des philosophes comme Platon, Schopenhauer, Nietzsche. Mais c'est pour affirmer en avoir fui la lecture afin d'éviter toute prévention et n'établir ces hypothèses spéculatives qu'à partir de l'observation : « Peu nous importe de savoir si en établissant le principe du plaisir nous nous rapprochions de tel ou tel système philosophique déterminé, consacré par l'histoire. C'est en cherchant à décrire et à expliquer les faits de notre observation journalière que nous en arrivons à formuler de pareilles hypothèses spéculatives [3] » : Là où je m'éloignais de l'observation, j'ai soigneusement évité de m'approcher de la philosophie proprement dite. Une incapacité constitutionnelle m'a beaucoup facilité une telle abstention (...). Les concordances étendues de la psychanalyse avec la philosophie de Schopenhauer (...) ne se laissent pas ramener à ma connaissance de sa doctrine. J'ai lu *Schopenhauer* très tard dans ma vie. *Nietzsche*, l'autre philosophe dont les intuitions et les points de vue concordent souvent de la plus étonnante façon avec les résultats péniblement acquis de la psychanalyse, je l'ai justement évité à cause de cela. Je tenais donc moins à la priorité qu'à rester libre de toute prévention [4]. »

L'importance que Freud accorde à Empédocle paraît donc

---

3. Essais de psychanalyse. *Au-delà du principe de plaisir* (Payot p. 7. G.W. XIII p. 3).
4. N.R.F. p. 74. G.W. XIV p. 86. *Ma vie et la psychanalyse.*

exceptionnelle, privilégiée, et par là même fait problème. La raison qui nous paraît fondamentale est la possibilité que trouve Freud de faire jouer un rôle exemplaire au mythe d'Empédocle qui serait à sa troisième doctrine des pulsions ce qu'était le mythe d'Œdipe à la deuxième topique. Si l'on s'en rapporte, en effet, à l'interprétation freudienne, le mythe d'Empédocle serait dû à la projection inconsciente des pulsions, inconsciente et déformée par déplacement du biologique au cosmique. La théorie freudienne réduirait le contenu mythique cosmique à sa vérité psychique [5]. Freud ne ferait ici qu'appliquer au cas particulier d'Empédocle sa lecture générale des mythes, des constructions spéculatives, métaphysiques ou religieuses. Celles-ci comme les croyances superstitieuses ou certains délires paranoïaques projetteraient dans des forces extérieures des forces pulsionnelles inconscientes. C'est ainsi que Freud définit la métapsychologie comme une tentative scientifique pour redresser les constructions métaphysiques : « Une grande partie de la conception mythologique du monde qui s'étend jusqu'aux religions les plus modernes, n'est rien d'autre que psychologie projetée dans le monde extérieur. La connaissance obscure (pour ainsi dire la perception endopsychique) des facteurs psychiques et de ce qui se passe dans l'inconscient se reflète (...) dans la construction d'une réalité supra-sensible, qui doit être transformée par la science en psychologie de l'inconscient (...). On pourrait se faire fort (...) de convertir la métaphysique en métapsychologie [6]. »

Projection inconsciente des pulsions déformée par déplacement, le mythe d'Empédocle révélerait la vérité psychique tout en la voilant. Freud, en lui donnant une base biopsychique, opère un renversement de l'extérieur vers l'intérieur, passant par là même du mythe à la science. Le mythe cosmologique d'Empédocle est le témoin du caractère naturel de la culture, et la culture y trouve ses conditions de possibilité de telle sorte que Freud peut la

---

5. Là encore Nietzsche est proche de Freud, lui qui réfère généalogiquement toute affirmation spéculative à une évaluation instinctive.
6. *La Psychopathologie de la vie quotidienne* (G. W. IV, pp. 287, 288, Payot pp. 298. 299).

lire à la lumière projetée retournée sur elle de ce qu'elle a permis.

On comprend dès lors le privilège que Freud accorde à Empédocle. C'est le caractère mythique qui est déterminant. En tant qu'il y a une vérité psychique de tout mythe, une philosophie mythique est plus symptomatique et plus révélatrice de l'inconscient, plus proche des processus primaires, que ne le serait une philosophie purement spéculative, produit de rationalisations secondaires plus élaborées, parlant le langage des processus secondaires, prétendant dire clairement et distinctement la vérité. En cachant, le mythe montre mieux que la prétendue clarté conceptuelle des philosophes. Et si, parmi les philosophes mythiques, Freud choisit Empédocle plutôt que quiconque, que Platon par exemple auquel il se réfère parfois (et toujours à son niveau mythique, en particulier, au mythe d'Aristophane du *Banquet*), c'est d'abord parce qu'Empédocle est le seul à donner une double causalité de toute chose, mais c'est aussi parce que de l'œuvre d'Empédocle il ne reste que des fragments. En effet, sur les cinq mille vers écrits n'ont été conservés que quatre cents pour le *Poème de la nature* et cent vingt pour celui des *Purifications*. Or, ce caractère fragmentaire est déjà par lui-même une image du caractère lacunaire du moi psychique. Enfin, la dualité même de l'œuvre, composée de deux poèmes, l'un d'allure scientifique, l'autre quasi mystique, expression parfaite de la dualité des pulsions comme de l'équivocité essentielle de la personnalité d'Empédocle était faite pour séduire Freud. Dans *Analyse terminée et analyse interminable*, Freud insiste à juste titre sur « l'esprit contrasté » d'Empédocle, à la fois chercheur et penseur, prophète et magicien, politicien, philanthrope, médecin versé dans les sciences naturelles. Exact et précis dans ses recherches de physique et de physiologie, mais en même temps mystique, obscur, attaché aux superstitions populaires et à la religion, croyant en une nature animée et en la transmigration des âmes [7].

---

7. Nietzsche, dans *La naissance de la philosophie à l'époque de la tragédie grecque*, insiste lui aussi sur le caractère équivoque de la personnalité d'Empédocle : « Si l'on ramène tout mouvement à l'action de forces insaisissables, à l'inclination et à l'aversion, la science se dissout

La spéculation

Mais la référence à une philosophie mythique, à celle d'Empédocle en particulier, et ceci à chaque fois qu'il expose sa dernière théorie des pulsions, a encore une autre raison. Car s'il est vrai que la réalité psychique est la vérité du mythe, on peut dire aussi que le mythe empédocléen sert de substitut peut-être provisoire à une rationalité parfaite de la dernière théorie des pulsions. Il y aurait comme un cercle : la doctrine des pulsions fonderait la vérité du mythe empédocléen, mais à son tour celui-ci serait la contre-épreuve de la vérité de celle-là. Il existerait un rapport réciproque de fondement du mythe par la théorie et de la théorie par le mythe, circularité qui laisse à l'un et à l'autre leur caractère hypothétique. Que le mythe joue bien ce rôle de substitut de la science, Freud le révèle dans *Au-delà du principe du plaisir*, lorsqu'il cite ce vers d'un poète : « Ce qu'on ne peut atteindre en volant doit l'être en boitant. » (P. 81.)

Le recours au mythe signifie que l'antagonisme radical de la vie psychique n'est jamais atteint directement, qu'il ne s'exprime toujours qu'obliquement par exemple par les oppositions entre les instances psychiques. Raison d'être de tous les conflits et de leur permanence à jamais irréductible, il est lui-même sans raison, pur fait brut inexplicable par aucun concept rationnel. Le recours au mythe est révélateur de l'énigme de cet antagonisme qu'on peut seulement poser comme un anhypothétique indépassable, fonde-

---

en magie. Empédocle se tient sans cesse sur cette limite et presque en toute chose, il offre ce visage équivoque. Médecin ou mage, poète ou rhéteur, dieu ou homme, savant ou artiste, homme d'Etat ou prêtre, Pythagore ou Démocrite, il flotte entre deux. Il met fin à l'âge du mythe, de la tragédie, de l'orgiasme, mais en même temps surgit en lui l'image du Grec plus moderne, démocrate, orateur, rationaliste, créateur d'allégories, homme de sciences. Deux siècles s'affrontent en lui ; il est de pied en cap l'homme agonal. »

ment sans fondement, si ce n'est mythique. En effet, l'hypothèse économique, scientifique, n'est ici d'aucun secours. Dans *Analyse terminée et Analyse interminable*, Freud montre comment le masochisme, la réaction thérapeutique négative, le sentiment de culpabilité du névrosé, témoignent de l'insuffisance du principe du plaisir à expliquer tous les phénomènes psychiques et conduisent à postuler la présence d'une force qu'il appelle, d'après ses buts : pulsion d'agression ou de destruction, et qu'il fait dériver de la pulsion de mort inhérente à la matière vivante : « Les actions communes et antagonistes des deux pulsions primitives, Eros et la pulsion de mort peuvent seuls expliquer la diversité des phénomènes de la vie, jamais une seule de ces actions seulement[8]. » Freud se demande alors comment les éléments des deux espèces de pulsions arrivent à s'associer pour remplir les différentes fonctions vitales, comment se nouent et se rompent les associations, quels troubles correspondent aux modifications. Prenant l'exemple de la bivalence sexuelle, il montre qu'on ne peut envisager d'en donner une explication économique : il n'y aurait qu'une certaine quantité disponible de libido et les deux penchants opposés entreraient en lutte pour s'en emparer. En effet, dans certains cas, tout se passe comme si le partage était effectué sans conflit. Pourquoi, dès lors, n'en serait-il pas toujours ainsi ? Et Freud en conclut que « l'aptitude au conflit est quelque chose de particulier (...) qui ne dépend pas de la quantité de libido ». (P. 90.)

Dès lors, la notion de conflit psychique demande à être totalement repensée. Elle n'est compréhensible que si l'on inscrit dans l'être même de la pulsion de vie, son autre, sa négativité, que Freud appelle pulsion de mort, partenaire de même force qu'Eros, principe d'inhibition interne. Jusqu'alors, le dualisme de Freud se situait au niveau des buts, des objets des pulsions, non au niveau des pulsions elles-mêmes. Avec l'hypothèse de la pulsion de mort, la dualité devient radicale : « Notre conception était *dualiste* dès le début et elle l'est encore de façon plus incisive (schärfer) aujourd'hui que nous avons substitué à l'opposition entre les pulsions du moi et les pulsions primitives, celle entre les pulsions

---

8. **G.W.** XVI, pp. 88, 89.

de vie et les pulsions de mort. » (*Au-delà du principe du plaisir*) [9]. Entre le dualisme initial et le dualisme terminal, il n'y a pas une simple différence de degrés mais une différence de nature : avec l'hypothèse de la pulsion de mort, Freud découvre la racine même, le fondement de toute dualité, de tout conflit et de leur irréductibilité.

Mais cette hypothèse explicative anhypothétique est elle-même mythique, en ce sens que la pulsion de mort ne peut jamais être appréhendée directement à partir de l'observation et des faits cliniques qui sont tous explicables en dernière analyse par d'autres hypothèses. En effet, la pulsion de mort œuvre en silence souterrainement, de telle sorte que la plupart du temps elle se trouve recouverte par son adversaire Eros (source inépuisable de tensions, travaillant dans la clameur), au point même qu'elle a pu échapper, longtemps, à la vigilance freudienne : « Les forces pulsionnelles qui tendent à mener la vie à la mort pouvaient bien opérer chez eux aussi dès le début (chez tous les êtres vivants même les plus primitifs), mais il serait très difficile de faire la preuve directe de leurs présences, leurs effets étant masqués par les forces qui conservent la vie. » (*Au-delà du principe du plaisir*, G.W. p. 52, Payot p. 62). La pulsion de mort est muette ou parle indirectement par des manifestations, des expressions qui en sont seulement des représentants partiels et inadéquats. Dans *Les nouvelles conférences,* Freud parle de « l'étrange, inquiétante et muette activité » de la pulsion de mort, et dans *l'Abrégé* il écrit : « Tant qu'elle agit intérieurement en tant que pulsion de mort, elle reste muette, elle ne se manifeste à nous qu'au moment où, en tant que pulsion de destruction, elle se tourne vers l'extérieur. »

Aussi bien Freud parle-t-il *des* pulsions de mort plutôt que de *la* pulsion de mort, celle-ci ne pouvant, pour ainsi dire, même pas être nommée. Tendance à l'inertie et à la répétition et en ce sens forme générale de toute pulsion, pulsion d'agression, négation, tels en sont les dérivés et les représentants les plus manifestes. La

---

9. Payot, p. 67. G.W., XIII, p. 57.

négation [10] qui, dit Freud, dans la *Verneinung* (la dénégation) « dérive génétiquement par substitution de la pulsion de mort » nous paraît, au niveau des processus secondaires de la conscience, ce qui est le moins réductible à toute autre explication et le plus révélateur de la nature de la pulsion de mort comme principe de négativité interne de la pulsion, pouvant par là même se lire seulement comme finitude d'une certaine positivité, ou dans l'infini du désir qui en est le contre-investissement. On comprend dès lors pourquoi Freud recourt au mythe empédocléen au moment où il expose sa nouvelle théorie des pulsions et en particulier l'hypothèse de la pulsion de mort. A cela s'ajoute une dernière raison qui est l'extension de l'hypothèse à tous les domaines, biologique [11], physique [12], d'où résulte un élargissement de la doctrine à un niveau cosmique, dont Freud trouve le modèle dans le mythe empédocléen, beaucoup plus qu'il ne peut en donner de véritables preuves scientifiques. Le changement de la terminologie freudienne est caractéristique à cet égard : Eros a un sens bien plus large que la libido, l'ἀνάγκη est le principe de nécessité qu'il emprunte directement à Empédocle. Néanmoins s'il ne parle pas de θάνατος mais des pulsions de mort, ce qui peut paraître paradoxal, puisque la pulsion de mort est davantage un principe de fonctionnement psychique qu'un type de pulsion observable et décomposable en une source, un objet et un but, c'est parce qu'ici le principe est lui-même irréductible à toute nomination qui ne pourrait que le dénaturer.

Le caractère spéculatif de la dernière théorie des pulsions, nécessitant le recours au mythe pour combler les lacunes de la science, est nettement indiqué dans tous les textes freudiens. Dans *Au-delà du principe du plaisir,* il écrit : « Ce qui suit doit être considéré comme de la pure spéculation, comme un effort

---

10. La négation est ce qui permet seule la reconnaissance de la réalité comme telle : ce n'est que par l'épreuve d'une absence qu'on peut éprouver la réalité de la présence ; le moment du « non » dans l'épreuve de réalité est dans l'intervalle entre « trouver et retrouver ».

11. Les preuves invoquées sont les phénomènes de migration des poissons, les phénomènes d'embryologie.

12. Il évoque les phénomènes d'attraction et de répulsion.

pour s'élever bien au-dessus des faits[13]. » Plus loin, il dit que s'il poussait jusqu'à ses dernières conséquences l'hypothèse d'après laquelle toutes les pulsions se manifestent par la tendance à reproduire ce qui a déjà existé, la conclusion à laquelle il aboutirait risquerait d'être traitée de mystique. Aussi bien, ne déclare-t-il chercher que des résultats positifs et ne se livrer qu'à des considérations fondées sur de tels résultats. Néanmoins, l'obscurité qui règne dans la théorie des pulsions ne permet pas de repousser la moindre indication contenant une promesse d'explication, fût-elle mythique. C'est ainsi que la science ne permet d'aucune façon d'affirmer le caractère répétitif et régressif des pulsions de vie. C'est seulement dans les mythes que Freud qualifie de « fantaisistes » qu'on peut trouver les hypothèses de ce genre, que ce soit le mythe d'Aristophane dans le *Banquet* de Platon ou le mythe hindou (Upanishad, Buhad, Asinyaka) ou encore celui d'Empédocle[14]. Le recours à des mythes différents, dont le seul point commun est celui de la restauration d'un état initial, en prouve bien la fonction qui est de permettre à la théorie un caractère systématique par-delà les preuves expérimentales, bien que Freud, ne voulant se fonder que sur les seuls résultats positifs, laisse sans réponse la question de la nature répétitive ou non des pulsions de vie.

Aussi Freud déclare-t-il avoir moins de certitude dans la dernière théorie des pulsions que dans les deux premières : « Dans ces deux cas, nous n'avons fait que donner une traduction théorique de l'observation, traduction qui pouvait bien être entachée

---

13. Payot, p. 29, G. W., p. 23 « Was nun folgt ist spekulation, oft weitausholende Spekulation ».

14. Il est à noter que la conception du mythe du *Banquet* et celle d'Empédocle concernant la sexualité sont loin d'être identiques, elles sont même en un certain sens opposées. Dans le premier cas on admet une bisexualité originaire perdue qui cherche à se reconstituer. Chez Empédocle, l'androgyne n'est pas le fantasme d'un âge perdu. L'homme et la femme, en s'unissant, créent l'androgyne, contribuant ainsi au retour à l'unité originaire de la sphère qui est ontologique et non sexuelle. Pourtant, chez Empédocle, il y a bien une bisexualité mais au niveau du germe : la différenciation des sexes se fait en fonction de la température de l'utérus.

d'erreurs, lesquelles dans une certaine mesure ne dépassent pas celles qui dans de tels cas sont inévitables. L'affirmation du caractère *régressif* des pulsions repose ausi sur des matériaux fournis par l'observation, notamment sur les faits se rattachant à la contrainte à la répétition. Mais il se peut que j'aie exagéré leur valeur et leur importance. Il convient toujours de faire remarquer que l'idée que nous avons essayé de présenter ici ne se laisse pas développer autrement qu'en combinant le plus possible de faits avec de simples fictions (mit bloss Erdachtem combiniert) et en s'écartant plus souvent qu'on ne le voudrait de l'observation proprement dite (...). Les résultats finaux qu'on obtient de la sorte sont d'autant moins sûrs qu'on recourt plus souvent à ce procédé pendant la construction d'une théorie, sans qu'on puisse indiquer avec précision le degré de l'incertitude. » (*Au-delà du principe du plaisir*.) [15]

Freud va jusqu'à dire qu'en ce qui concerne les grands problèmes de la science et de la vie, et leurs principes ultimes, l'on ne peut être impartial : « Dans ce cas, chacun est dominé par des préférences ayant des causes très profondes et qui, sans qu'il s'en doute, viennent en aide à ses spéculations » (*ibid.*). Mythe et science, par leur fondement psychologique commun, ne présenteraient plus guère de différence. On comprend dès lors qu'il n'y ait aucun obstacle épistémologique à recourir au mythe empédocléen pour combler les lacunes de la science, on comprend la fameuse formule des *Nouvelles Conférences* qualifiant de mythologique la dernière doctrine des pulsions, et on comprend l'affirmation du caractère mythologique de toute science.

« La doctrine des pulsions est pour ainsi dire notre mythologie. Les pulsions sont des êtres mythiques à la fois mal définis et sublimes. Tout en ne pouvant jamais cesser d'en tenir compte au cours de notre travail, nous ne sommes pas certains de les bien concevoir. » (*Nouvelles conférences* [16].)

---

15. Payot p. 75, G.W. p. 64.
16. N.R.F. p. 130, G.W. XV, p. 109.

« Avec une petite dépense de spéculation [17], nous en sommes arrivés à concevoir que cette pulsion agit au sein de tout être vivant et qu'elle travaille à le vouer à la ruine, à ramener la vie à l'état de matière inanimée. Une telle pulsion mérite le nom de pulsion de mort (...). Peut-être avez-vous l'impression que nos théories sont une sorte de mythologie (eine art von Mytho-logie) qui en l'espèce n'a rien de réconfortant. Mais est-ce que toute science de la nature ne se ramène pas à cette sorte de mythologie ? En va-t-il autrement pour vous dans le domaine de la physique ? » (*Pourquoi la guerre ?*)

Le fondement psychologique des principes ultimes de la science ne signifie pas pour autant qu'on puisse admettre n'importe quelle opinion : il faut repousser les théories qui vont contre l'analyse la plus élémentaire de l'observation, tout en sachant que la théorie qu'on professe soi-même ne peut prétendre qu'à une « exactitude provisoire », qu'elle doit être abandonnée dès lors qu'elle n'est plus opérante : seuls les croyants demandent à la science de remplacer le catéchisme.

Ainsi tenter de rapprocher Empédocle et Freud n'est pas arbitraire. Si Freud a marqué un intérêt particulier pour la philo-sophie mythique d'Empédocle, c'est parce que comme tout mythe elle est pour lui porteuse d'une vérité psychique, servant par là de modèle exemplaire à la dernière théorie des pulsions en même temps qu'elle en est la contre-épreuve, tout en recevant de celle-ci son principe d'intelligibilité et son fondement dernier.

---

17. G. W., XVI, p. 22 « Mit etwas Aufwand von spekulation. » Texte adressé à Einstein.

De l'intérêt d'Empédocle
pour la psychanalyse

Compte tenu des différences signalées par Freud lui-même, les deux doctrines sont-elles bien identiques ? A première vue, il semble qu'elles n'aient guère de rapport, la problématique d'Empédocle étant commune à tous les présocratiques et se situant dans un contexte culturel et spéculatif qui n'est plus du tout celui de Freud. Pourtant, il nous faut maintenant la suivre avec quelques détails pour justifier précisément la thèse freudienne d'une vérité inconsciente du mythe [18].

Pour Empédocle comme pour Parménide, l'Un et l'Etre s'identifient. L'un est dès le commencement et son règne est celui de la félicité, s'opposant par là au chaos originaire d'Anaxagore. Une fois aboli, tout le devenir et les forces qui le constituent auront tendance à le reconstituer. L'Un est donc l'origine et la fin, il est immanent au devenir d'où il émerge progressivement. Etre, c'est être et devenir Un. Cette unité est figurée par l'image de la sphère. Le Monde est un Sphairos divin, qui, comme chez Parménide, est homogène, continu, immobile, immortel. La sphère partout égale à elle-même n'a d'autre struc-

---

18. Signalons la difficulté préalable qu'est le caractère fragmentaire des textes empédocléens connus surtout par la doxographie. La lecture d'Empédocle requiert donc nécessairement une reconstruction et une interprétation. Or, Freud, comme il nous le dit dans *Analyse terminée et Analyse interminable,* ne connaissait Empédocle qu'indirectement par le livre de Capelle, *Les présocratiques.* L'interprétation que nous donnerons de certains textes, suivant en cela la thèse de Bollack, ne sera pas toujours conforme à celle que connaissait Freud. Nous devons aux remarquables travaux de M. J. Bollack (*Empédocle,* Minuit, 1965) d'avoir une intelligence nouvelle et originale de la pensée d'Empédocle. Nous utilisons de près cette interprétation, mais le rapprochement avec Freud n'engage que notre responsabilité.

ture que celle de sa propre circonférence. La sphère désigne
l'unité de l'Etre, la plénitude, le dépassement de toute multiplicité.
Elle n'a ni corps ni membres et sa rotondité exprime que tout en
elle est gouverné selon le principe de l'amour. La haine est relé-
guée à la périphérie.

« Là on ne voit plus les membres agiles du soleil,
Ni la puissance velue de la terre, ni la mer,
Tellement est fixé, dans l'épaisse enveloppe de l'Harmonie
Le Sphairos circulaire, joyeux dans sa révolution solitaire
Il n'y a ni discorde, ni lutte indécente dans ses membres.
Mais lui est égal en tous sens, semblable à lui-même et absolu-
ment sans limites.
Circulaire Sphairos, joyeux dans sa révolution solitaire
Car on ne voit pas deux branches s'élancer à partir de son dos
Il n'a pas de pieds, pas de genoux agiles, pas d'organes génitaux
Mais il est sphérique, en tous sens égal à lui-même. »

(Frag. 27, 28, 29 [19]).

Au niveau des *Purifications,* cet état cosmogonique premier
et parfait est « fantasmé » par les hommes sous la forme mythique
d'un âge d'or, paradis perdu où régnaient l'innocence et l'harmonie.
Cet âge aurait pris fin à cause d'une souillure originelle conséquence de l'abandon à la haine. Tout meurtre actuel perpétue et
répète la discorde primitive, cause de tous maux, et que les hommes doivent expier par une transmigration quasi indéfinie des
âmes. Empédocle se présente lui-même comme un dieu déchu, en
exil, doué de puissance salvatrice, d'une part, grâce à la connaissance qu'il a de l'unité de l'Etre (et ceci par les multiples métamorphoses qu'il a subies) ; d'autre part, par le remède qu'il propose, qui est celui d'une éthique fondée sur l'amour et d'une
politique démocratique voire panhellénique.

Empédocle n'est pas le premier à écrire ainsi un *Traité des*

---

19. Cf. aussi fragments 13, 14, 132, 134. Nous suivons ici la traduction de Jean Brun (*Empédocle,* Seghers, éd.).

purifications, mais son originalité est d'unir la sagesse au savoir. Ses deux poèmes présentent deux aspects complémentaires de la vision du monde. A la différence du pythagorisme, l'eschatologie est transposée du plan de l'initiation à celui du savoir qui cherche à se transmettre par l'explication du principe de toutes choses et on pourrait dire que le *Poème des purifications* n'est que la traduction mythique parfois allégorique du *Poème de la nature*, qui en serait la vérité [20].

Les différentes réincarnations ne sont que l'image de la continuité d'un passage où se déploie le lien qui unit ce qui semble disjoint, l'image de l'unité ontologique des êtres. La connaissance implique une coïncidence antérieure avec ce dont on parle, non pas qu'il y ait transmigration réelle des âmes mais parce que l'homme n'est qu'un moment du jeu des éléments, racines identiques de toutes choses. Il y a ici, comme dans tout mythe, une transposition de la synchronie sur le plan de la diachronie. Pour les mêmes raisons, ce qui, dans le *Poème de la nature* est principe ontologique, est dans le *Poème des purifications* principe moral. La pensée d'Empédocle est alors proche du manichéisme. L'amour est le bien, la haine le mal et le principe de tous les maux, alors qu'au niveau ontologique les deux principes sont tous deux nécessaires. L'éthique et la politique sont à la fois l'expression mythique de l'ontologie et les remèdes proposés aux hommes pour restaurer l'unité de la sphère dont les hommes ne sont que des fragments [21]. Cette unité de la sphère ne fait qu'un avec

---

20. Dans une perspective freudienne, c'est au contraire le deuxième poème qui serait la vérité du premier.
21. Pour tout ce passage, cf. *Fragments* 112-115-117-121-122-123-125-126-128-130-136-137. En particulier :
§ 117 :
« Car moi j'ai déjà été un garçon, une fille.
Une plante, un oiseau et un poisson muet qui bondit au-dessus de la mer. »
§ 121 :
« Terre sans joie
Où la mort et la Haine et les autres Génies de la Mort
Et les maladies qui ravagent et les putréfactions et les œuvres de la dissolution

l'amour qui se trouve au centre, maintenant unis les différents éléments. En effet la sphère, hors du temps, abrite néanmoins tout ce qui dans le devenir se déploie. A ce niveau l'union est tellement parfaite que la différenciation des éléments est inexistante et que l'élément, en conséquence, n'est pas reconnaissable comme tel. Mais c'est cette appartenance originaire à l'Un qui fonde l'unité ontologique des éléments et permet leur union malgré et en dépit de leur diversité. Empédocle appelle amour ce lien entre les dissemblables qui va jusqu'à supprimer les différences. La haine, au contraire, est principe de différenciation, ne permettant, quand elle règne, que l'union du semblable avec le semblable. Il n'y a vie que par l'intervention commune de la haine et de l'amour. L'originalité d'Empédocle est d'avoir aperçu la nécessité d'un double principe de mouvement [22]. S'il n'y avait que l'amour, il n'y aurait de possible que le règne de la Sphère dans son immobilité, règne de l'identité sans différenciation. S'il n'y avait que la haine, ce serait le règne de l'absolue séparation, ce qui dans une certaine mesure est aussi le règne de l'identique, puisque seul serait possible alors l'attrait du semblable pour le semblable.

Un certain nombre de points de cette cosmogonie ne pouvaient manquer d'intéresser Freud.

D'abord, le problème général concernant le rapport de l'Un et du multiple ne serait pas étranger à Freud bien qu'il le formulerait peut-être en sens inverse : comme l'Un naît-il du multiple et plus précisément de deux ? Freud ne verrait-il pas dans la problématique commune à toutes les cosmogonies un déplace-

---

Errent sur la prairie du malheur dans les Ténèbres. »

§ 137 :

« Le père ayant soulevé son fils qui a changé de forme,
Le tue en priant, l'insensé ! mais ils implorent la pitié
Et se précipitant vers les meurtriers, alors que lui, de son côté, sourd
    aux cris des victimes, le tue
Le tue, préparant dans sa demeure le festin infâme.
De même le fils saisit son père, les enfants leur mère,
Et leur arrachant la vie, ils dévorent la chair de leurs propres parents. »

22. A la différence, par exemple, d'Anaxagore pour qui le noûs est le seul principe.

ment inconscient du problème sexuel ? Ne verrait-il pas dans le poème empédocléen, comme l'a vue Nietzsche, une vaste symbolique de l'amour sexuel ?[23] On pourrait aussi retrouver chez Freud le problème de l'Un et du multiple au niveau de la pulsion et de son rapport avec les pulsions partielles.

De plus, la description de l'unité, de l'immobilité de la sphère et la nostalgie humaine d'un âge d'or primitif n'est pas sans rappeler la nostalgie du sein maternel, le narcissisme primaire, comme « état limite de la forme de totale inexcitabilité », mais aussi le narcissisme secondaire, comme « effacement de la trace de l'Autre dans le désir de l'unité, de l'autosuffisance, de l'immortalité dont l'auto-engendrement est la condition, mort et négation de la mort en même temps »[24]. Mais il est à noter une importante différence : chez Empédocle, l'amour par l'union parfaite qu'il engendre est cause de l'absence de tensions. Pour Freud, Eros accroît les tensions et le narcissisme est culture de la mort, bien qu'Eros soit étroitement intriqué aux pulsions de mort ; dans ce cas, ce qui est au principe de la mort est installé dans le sein de l'amour. Pour reprendre l'image d'Empédocle, l'amour est au centre et la haine à la périphérie, tandis que pour Freud, dans le cas du narcissisme, Eros est à la périphérie et la pulsion de mort au centre. Néanmoins, chez Empédocle aussi, au niveau du devenir, l'amour est principe de vie et la haine, principe de division et de mort. C'est pourquoi il serait trop simple de vouloir renverser les termes. De plus, même lorsque l'amour est dans la sphère principe d'immobilité, il l'est en tant que principe équilibrant d'une multiplicité dont le mélange est si intime que toute différenciation disparaît, tandis que l'aspiration à un état d'inexcitabilité absolue fait intervenir non pas le principe de constance, mais le principe du Nirvana, c'est-à-dire un principe de réduction annulant.

De même que, chez Empédocle, il y a entre le *Poème de la*

---

23. Cf. *La Naissance de la Philosophie,* N.R.F., p. 125.
24. Cf. les articles du Dr Green dans « *L'inconscient* », n°s 1 et 2. Une première version de ce travail a été exposée au séminaire d'A. Green en avril 1968, à l'Institut de psychanalyse. Nous remercions ici A. Green.

Nature et celui des *Purifications* un passage du plan ontologique au plan éthique, il y a chez Freud, dans certaines œuvres, un glissement d'accent, du plan biopsychique au plan culturel. Dans *Malaise dans la civilisation* et dans *Pourquoi la guerre ?,* la pulsion de mort est « représentée » essentiellement par la pulsion d'agression et Eros, comme l'amour chez Empédocle, est un principe salvateur de la culture. Car au malaise de la civilisation il y a deux remèdes : l'intériorisation de la pulsion d'agression mais aux dépens de la vie individuelle, et Eros, unissant les hommes dans des unités de plus en plus grandes. Le conseil donné par Freud de développer des organismes internationaux pour lutter contre la guerre n'est pas sans rappeler le panhellénisme d'Empédocle. Mais chez Freud le conflit entre les « deux géants » est indépassable. Chaque unité restreinte est dans une certaine mesure une force de mort pour l'unité supérieure qui doit nécessairement exercer contre elle une certaine violence. Chez Empédocle, au contraire, toute formation d'unité est un moteur de dépassement vers une unité supérieure ; la nostalgie de l'unité première est en effet présente en tout être. De plus, chez Freud, la force de mort inhibant toujours Eros, une unité parfaite n'existe jamais si ce n'est fantasmatiquement. Enfin, Freud met en garde contre toute forme de manichéisme : la pulsion de mort est, elle aussi, condition de possibilité de la culture, de telle sorte qu'il y a toujours nécessité d'une collaboration étroite entre les deux pulsions.

Enfin les exemples de souillure originaire données par Empédocle n'auraient pas manqué de plaire à Freud qui auraient pu y voir une nouvelle contre-épreuve de l'Œdipe.

La haine et l'amour, les pulsions de mort et Eros

Mais ce sont surtout les deux forces fondamentales, l'amour et la haine, que Freud déclare expressément être identiques, « par leur nom comme par leur fonctionnement », à Eros et aux pulsions de mort.

Leurs noms, à proprement parler ne sont pas identiques à ceux donnés par Freud. Le terme grec par lequel Empédocle désigne l'amour n'est jamais Eros, bien qu'il fasse appel à une pluralité de noms : Philotès, Philia, Aphrodite, Harmonie, Cypris, Storgê [25]. La haine n'est jamasi désignée par θάνατος, mais par νεῖχος, Πόλεμος, ῎Ερις, κότος [26].

Cette pluralité ne révèle-t-elle pas que, comme chez Freud, l'amour et la haine peuvent être atteints seulement par leurs effets et par leurs représentants, et qu'ils dérivent tous génétiquement d'un même principe malgré leur diversité ? Comment fonctionnent ces deux forces ? Comme chez Freud, elles sont toutes les deux nécessaires, inéliminables, dès le niveau de la sphère, et dans le devenir leur combat est irréductible. Elles sont deux principes immortels. A l'origine, l'amour est au centre de la sphère et la haine est à l'extérieur. « Quand son heure est venue », la haine intervient, donnant naissance au monde du devenir. Entre la sphère et les débuts du monde se situe le règne instantané et abstrait du désordre où rien ne s'est encore agrégé. Tout est confondu par la division intégrale au lieu que ce le soit par l'amour comme précédemment. C'est le seul moment où triomphe la haine tant que ne l'a pas rejoint l'amour au centre du tourbillon où commence le retour ; il n'y a donc pour Empédocle que deux moments mythiques, qui sont ceux de la sphère et de l'origine du devenir, où l'une des deux forces triomphe sur l'autre ; de même chez Freud, ce n'est que dans le temps mythique de l'origine des vivants qu'il y aurait séparation radicale des deux forces de vie et de mort, bien qu'elles soient aussi toutes deux présentes dès l'origine. Partout ailleurs il y a collaboration, lutte entre les deux principes, sans que le triomphe de l'une ou de l'autre soit jamais assuré, la désintrication ne se produisant que dans des cas pathologiques

---

25. C'est-à-dire : Philotès et Philia = amitié, Aphrodite = la déesse de l'amour, Cypris = la déesse du désir, Storgê = la tendresse.

26. C'est-à-dire, la discorde (terme de l'*Iliade*), la guerre, la dispute, la division.

(comme dans la mélancolie ou la névrose obsessionnelle) et au moment de la mort.

L'amour apparaît donc d'abord comme un principe d'union des dissemblables et la haine un principe de division faisant succéder le désordre à un ordre originaire qui est celui du mélange parfait. Mais la haine n'est pas un principe de désordre absolu : elle trouble l'unité de la sphère, suscite de grands cataclysmes et des tempêtes (différant en cela du silence de la pulsion de mort) en s'opposant à l'amour, mais suscitant par là-même l'activité de ce dernier qui intervient d'une manière croissante pour restaurer l'ordre perdu. De plus, si la haine est une cause de corruption de la sphère, elle est la cause génératrice du devenir. Elle est un principe positif de délimitation des formes. Si elle existe même dans la sphère, à la périphérie, c'est parce que sans elle, dans une certaine mesure, l'Un même perdrait sa forme. Dans le devenir, elle assure la survie des formes en empêchant l'Un de se faire au détriment des êtres : tout serait Un si la haine n'était pas dans les choses. Si elle n'est pas à proprement parler créatrice des formes, ce qui est l'œuvre de l'amour, elle est cause de leur diversité en s'opposant diversement à l'amour.

L'ordre actuel du monde est maintenu par l'équilibre des deux puissances. L'interprétation traditionnelle, à laquelle se réfère Freud, représente le processus universel comme une alternance continue jamais interrompue de périodes au cours desquelles l'une ou l'autre des deux forces l'emporte et où, tantôt l'amour, tantôt la discorde, aurait gain de cause, temps pendant lequel le parti vaincu revendique ses droits et, à son tour, vainc l'adversaire. Le devenir serait assuré par l'alternance de ces combats et l'issue d'avance connue, chacun menant de la soumission absolue à la prédominance entière. Comme les deux forces se disputent l'emprise des quatre éléments, il y aurait deux états de suprématie vers lesquels les choses tendraient nécessairement et deux mondes d'orientation opposée où l'amour et la haine se rencontreraient mais qui se distingueraient radicalement, l'un tendant irréversiblement vers la dissolution par l'union grâce à l'accroissement constant des mélanges, l'autre vers la dissolution par la séparation, grâce à la prépondérance croissante des incompatibilités et des désunions. Il y aurait donc deux fois formation d'un monde du devenir sous des empires opposés. Au milieu de chaque période, les deux forces se tiendraient en équilibre. A tout autre moment, l'une des deux prévaudrait. Il existerait donc quatre stades bien distincts se répondant deux à deux. En fait [27], les expressions employées par Empédocle et qui sont équivoques : « sous l'amour », « sous la haine », ne se rapportent pas à des devenirs opposés. Les oppositions qu'introduit Empédocle sont toujours entre le monde de la sphère et celui du devenir. Quand il y a τότε dans le texte, cela n'évoque pas un autre monde du devenir, mais la sphère. L'empire de l'amour s'étend à la sphère et à tout le devenir dans la mesure où sa puissance s'y accroît peu à peu ; l'empire de la haine s'installe au moment où elle brise l'unité de la sphère et inaugure la cosmogonie. Mais elle est toujours présente nécessairement dans le devenir, sans quoi il ne saurait y avoir vie. De plus, dans l'hypothèse des quatre stades, il y aurait destruction d'un monde sans retour à l'origine, ce qu'implique l'idée du cycle dont parle Empédocle. Enfin, dans aucun des deux poèmes d'Empédocle il n'y a de témoignage de ces doubles formations successives : un seul univers, le nôtre est décrit, et un seul cycle, c'est-à-dire le retour à l'état même dont l'univers est issu : « Double ce que je dirais : tantôt l'Un s'accroît pour seul être de plusieurs qu'il était, tantôt au contraire il se sépare pour être plusieurs, d'Un qu'il fut » [28].

Par là, Freud serait encore bien plus proche d'Empédocle qu'il ne le supposait. Il est d'abord clair que les fonctions essentielles de la pulsion de mort et d'Eros sont effectivement identiques aux fonctions de la haine et de l'amour : la pulsion de mort est avant tout un facteur de désintrication des pulsions, comme la haine est un principe de désunion, de disjonction, de coupure ; Eros est facteur d'union, d'intrication, de conjonction, de

---

27. Nous suivons ici de très près la thèse de Bollack.

28. Cette double interprétation possible de la cosmogonie empédocléenne n'est pas sans rappeler l'opposition des interprétations génétique (théorie des stades) et structurale (théorie du cycle) concernant Freud. Chez Freud, il est nécessaire d'admettre les deux.

suture, comme l'amour est facteur d'union, d'assemblage harmonieux, de mélange [29]. Chez Freud, comme chez Empédocle, les deux pulsions travaillent simultanément. Le travail discordant, celui dans lequel chacune des pulsions retrouverait l'autonomie de son but, est pathologique. « Entre les deux types de pulsions, pulsion de vie et pulsion de mort, il se produit une très complexe intrication, de telle sorte que dans la réalité on ne rencontre jamais les pulsions de mort ou ceux de vie à l'état pur, mais seulement à l'état d'alliages divers. A cette intrication des pulsions peut, sous certaines influences, s'opposer leur désintrication. Le masochisme serait un reste et un témoin de cette phase évolutive où s'est fait l'alliage entre la pulsion de mort et Eros si important pour la vie. » (*Problème économique du masochisme.*)

Pour Freud, il s'agit de savoir comment ces deux forces opposées peuvent collaborer s'il n'y a pas comme chez Empédocle, dans l'interprétation traditionnelle, neutralisation de l'une par l'autre. S'agit-il d'une subordination du but de l'un au but de l'autre en fonction de leur quantité respective ? Ces modifications des proportions des pulsions semblent en effet avoir des conséquences sérieuses. Dans l'*Abrégé de psychanalyse*, Freud écrit : « Un excédent d'agressivité sexuelle fait d'un amoureux un meurtrier sadique, une forte diminution du facteur agressif le rend timide ou impuissant », et dans *Le Moi et Ça :* « L'essence d'une régression de la libido, par exemple de la phase génitale à la phase sadique anale repose sur une désunion des pulsions tandis qu'à l'inverse le progrès de la phase antérieure à la phase génitale définitive a pour condition une adjonction de composantes érotiques. » Mais le point de vue quantitatif ne peut résoudre le problème, parce qu'Eros, quelle que soit sa quantité, est principe d'union, et qu'inversement la pulsion de mort fût-elle en quantité minime est facteur de désintrication. C'est pourquoi, en écrivant que le but serait de parvenir à savoir comment les éléments des deux espèces de pulsions arrivent à s'associer pour

---

29. Les autres fonctions de la pulsion de mort dont nous avons parlé plus haut n'apparaissent pas chez Empédocle.

remplir les différentes fonctions vitales, comment se nouent et se rompent les associations, Freud pose le problème sans arriver vraiment à le résoudre (Cf. *Analyse terminée, analyse interminable.*)

Dans cette collaboration nécessaire pour maintenir l'état vital, les deux forces sont-elles à égalité ? Chez Freud, tantôt la vie semble la fin suprême, Eros arrivant à mettre à son service sous une forme ou sous une autre la pulsion de mort : par exemple, la possession amoureuse se sert de l'agression sadique, le développement culturel du masochisme moral. Tantôt tout semble être au service de la pulsion de mort, puisque la vie elle-même aurait tendance à revenir à l'état inerte, et que tout triomphe actuel de la vie lui permet seulement de mourir ultérieurement de sa propre mort. Tant que dure la vie, il n'y a pas là non plus de triomphe exclusif possible de l'un ou de l'autre, le conflit est irréductible, pur fait brut nécessaire. C'est pourquoi le problème de la finalité est, chez Freud, un faux problème qu'on pose pour masquer le règne de la nécessité irréductible et de l'une et de l'autre force.

Chez Empédocle, bien qu'il y ait nécessité des deux forces, elles ne semblent pourtant pas égales. Le triomphe de l'amour semble être la finalité dernière, permettant la reconstitution de la sphère primitive, bien qu'Empédocle ne fasse jamais la description de cet état final.

En effet, à l'origine, lorsque la haine intervient, l'amour s'est réfugié à la périphérie. La haine descelle les adhérences entre les éléments divers, les faisant apparaître comme tels dans leurs différences. Ils sont les principes constituants de toutes choses, et à la mort, tout se dissout en eux. L'amour se confond dans une certaine mesure avec eux et la haine n'est que leur différence. Ils sont permanents de telle sorte qu'à proprement parler, ni naissance ni mort n'existent :

« *Point de naissance pour aucune chose mortelle,*
Point de fin dans la Mort funeste »   (Frag. § 8.)

La mort est une pure décomposition en vue d'une recomposition immédiate. Chez Empédocle, il n'y a pas de négativité réelle, si ce n'est sous la forme de l'altérité et de la pluralité. La plénitude de l'Etre diffère de celle de Parménide, en ce sens qu'elle est multiple. Empédocle multiplie l'être dans la pluralité de ses natures, se situant entre l'unité des Eléates et l'infinité d'Anaxagore. La double permanence empédocléenne, celle de la sphère, celle des éléments qui en est seulement la perpétuation dans le monde du devenir, pourrait être dans une perspective freudienne, interprétée comme un refuge contre la nécessité de la mort. Néanmoins, il y a chez Freud lui-même quelque chose d'analogue, lorsqu'il envisage l'individu comme un pur rameau de l'espèce immortelle.

Le devenir s'accomplit dans les assemblages d'éléments. C'est le rapport numérique, la proportion, là aussi, qui fait la différence et la variation des choses. L'union des éléments se fait par l'intermédiaire de pores et de la proportion entre les pores. L'essentiel est la commensurabilité des grandeurs : la symétrie importe plus que la mesure effective. Ce qui rassemble les éléments est le lien d'Harmonie. L'amour a ici la fonction fondamentale d'assimilation des différences afin de former les corps :

« *De l'eau, de la terre, de l'éther et du soleil*
Mêlés, sont nées les formes et les couleurs des choses
mortelles
Qui toutes vivent maintenant accordées par les soins
d'Aphrodite,
Et comme elles se mélangeaient voici que se répandaient
Les Myriades de tribus mortelles
Ajustées à des formes diverses, merveilles à voir. »

Dans l'union des éléments, il n'y a pas de mélange à proprement parler, car il n'y a pas de transformation possible. Il s'agit plutôt d'une composition ou d'une juxtaposition. Aristote la compare à un mur de briques assemblées, à une mosaïque aux quatre couleurs. Ce qui maintient unie la construction est la proportion. Le critère de réalisation d'une proportion est le plaisir, le critère de désaccord est la douleur. Toute sensation agréable résulte du contact des éléments. Le plaisir naît de la réparation quand les éléments venant à manquer sont remplacés. La douleur vient de la rupture des lois du mélange quand les éléments se séparent les uns des autres et sont arrachés à eux-mêmes. C'est le manque qui est à l'origine de l'appétit du semblable pour le semblable. Mais si ce manque peut être comblé, c'est en vertu de la loi d'affinité du semblable pour le semblable, qui est, pourrait-on dire, la loi même de l'élément, qui s'accomplit grâce à la haine. A l'origine, quand n'est pas encore apparue effectivement la puissance qui assimile les différences et permute les éléments, le chaos règne mais n'est pas un désordre absolu : les éléments de race identique sont attirés vers un même lieu, échappant ainsi à la discorde, tout en venant renforcer ses effets, puisqu'ils se concentrent dans leurs différences. La discorde émancipe la force attractive du semblable pour le semblable. Les orbes de la sphère renaissante forment les cercles des éléments. Paradoxalement donc, la haine favorise la conservation des éléments. Au contraire, l'amour les arrache au lieu qui leur est propre et les oblige à échanger leurs propriétés. (A ce niveau, la haine et l'amour travaillent bien d'une façon analogue aux pulsions freudiennes.) Depuis le moment où l'amour et la haine ont échangé leurs voies, les éléments sont partagés entre leur propre loi et la contrainte de l'amour.

« *Un lien les unit tous dans toutes leurs parties*
Splendeur solaire, et terre, ciel et mer
Qui loin d'eux, dans les choses mortelles vivent égarés
Et de même toutes celles qui davantage répugnent au
mélange
S'aiment l'une l'autre appareillées par Aphrodite.
Mais les plus ennemies s'éloignent l'une de l'autre au plus
loin
Dans leur race, dans le mélange et dans les figures façonnées
Etrangères à toute étreinte, devenues maléfiques
Sur les conseils de Discorde. »

La proportion des pores et la loi de l'affinité du semblable pour le semblable sont les principes essentiels expliquant aussi bien la constitution des corps que leur croissance, la perception et la connaissance.

C'est ainsi que chacun des sens est caractérisé par un élément qui va connaître en dehors de lui l'élément semblable. Le feu perçoit le feu, l'air perçoit l'air. Aux pores des sens s'ajustent les effluves émanés des corps. Ces émanations composites réunissent toutes les propriétés des corps. Le sens les analyse à l'aide de l'élément qui le définit et les pores reconnaissent l'effluve adapté à leur nature. La vie des mélanges oscille entre le maintien et la mort par l'apport et le départ des effluves. La haine ici est à la base de la connaissance, puisque seule elle est capable d'arracher les particules enserrées dans leur tissu et de permettre au semblable de rejoindre le semblable. Mais elle est aussi cause d'erreur, faisant croire à une séparation réelle des corps et oublier l'unité ontologique première. Inversement l'amour est nécessaire, puisque c'est lui qui permet la rencontre proportionnée des éléments, qui unit l'intérieur et l'extérieur.

Ainsi toute connaissance est participation ontologique et activité réciproque de tout ce qui vit. La sensation la plus infime dévoile la chose même et par tous les sens réunis il est possible de saisir la totalité du monde. Ce sens commun ou pensée est constitué par le sang. Les êtres qui connaissent, étendent le règne de l'harmonie en apportant aux choses leurs éléments, tout en recevant les effluves des choses. Les conditions de possibilité de la connaissance sont avant tout vitales : saisir l'être des choses, c'est augmenter ses propres forces. L'art de conduire sa pensée repose sur un art de vivre. Il faut savoir les justes proportions qui conviennent à chacun et l'augmentent. La croissance n'a de limite que la constitution de chacun. C'est pourquoi là encore, c'est le désir qui est à la base d'un échange réussi entre le sujet connaissant et le monde.

Chez Empédocle, donc, il y a en tous domaines une étroite interdépendance des deux forces fondamentales qui ne tiennent leur valeur que de leur mutuelle négation. Mais les deux forces ne sont pas égales. L'amour connaît le stade de l'accomplissement alors que la discorde se réduit à l'altération de l'amour. Tant que celui-ci n'a pas reconstitué sa souveraineté, le devenir peut durer. Le rétablissement de la sphère apportera la mort à tout ce qui vit, bien que ce soit l'unité future qui prête à l'univers actuel son unité provisoire : il y a une présence et une survie de l'origine qui fonde le retour et la répétition. Il y a donc bien une prépondérance de l'amour à la fois comme origine, comme fin, comme harmonie constitutive des corps du devenir, comme force immanente au devenir l'orientant vers une unification et une perfection de plus en plus grande qui, paradoxalement, coïncide avec son propre achèvement. Mais pour que naisse le devenir il fallait une force du négatif, l'Autre, qui n'est que la multiplication de l'Un. L'originalité d'Empédocle sur ces prédécesseurs est d'avoir divisé la cause du mouvement. L'une et l'autre cause ont des fonctions multiples. Elles peuvent, toutes deux, être cause et de repos et de mouvement. Le repos tient de l'amour quand il efface les différences des éléments dans les liens des corps vivants. Mais il tient de la haine, quand elle les conserve identiques à eux-mêmes, joints par l'affinité du semblable pour le semblable. Le mouvement tient d'abord de la haine qui défait les mélanges, mais l'amour qui triomphe dans l'immobilité de l'Un arrache les éléments semblables pour cheviller les dissemblables. Néanmoins, Empédocle diversifie les deux espèces de mouvement en appelant celui engendré par la haine « tempête » ce qui en indique le caractère désordonné, celui de l'amour « tourbillon », mouvement circulaire, image la plus parfaite dans le mouvement, de l'immobilité et de la rotondité de la sphère.

On ne peut donc dire que l'amour et la haine soient le contraire l'un de l'autre. Ils sont plutôt rivaux : le modèle choisi est politique. Les deux puissances sont également divines, incorruptibles. La haine n'est pas le mal. Ce qui est mal pour la sphère divine, est bien pour le devenir ; le monde naît et subsiste grâce à la haine qui divise l'Un. On pourrait dire, reprenant les termes freudiens, que la haine, force essentiellement négative, est cette « inquiétante étrangeté » qui fait que tout n'est pas un, étrangeté exprimée par la situation limite que lui donne Empédocle, à la périphérie de la sphère. Elle est le principe même de l'altérité.

Elle fait que l'Un se multiplie, que l'Etre, d'immobile, devient, que l'immortel devient mortel, qu'étroitement intriqués les uns dans les autres les éléments se descellent, que l'homogénéité de la sphère se diversifie dans l'hétérogénéité des formes.

Cette prépondérance de l'amour sur la haine, cette orientation du devenir en vue de la reconstitution de l'unité primitive doit-elle être attribuée à une finalité[30] ? Freud considère comme un des mérites d'Empédocle de substituer le hasard à la finalité et d'être ainsi l'un des premiers ancêtres du matérialisme. Empédocle et Freud, là encore, sont très proches l'un de l'autre, car ce qui détermine en dernière analyse le mouvement de toute chose et l'avènement du devenir chez Empédocle, comme ce qui rend raison du conflit irréductible des pulsions de mort et des pulsions de vie, chez Freud, c'est la nécessité, ce sont les pactes de la divine Ἀνάγκη[31]. Or, ce n'est justement là ni une raison ni une explication. Les deux principes chez l'un comme chez l'autre « n'expliquent » rien, car ils ne relèvent pas d'une hypothèse quantitative, ils ne sont pas mesurables, et la prépondérance d'une des forces sur l'autre n'est pas due à une différence de grandeur.

La nécessité se confond avec la nature même des choses. Compris dans l'ordre de la nécessité, amour et haine sont rigoureusement appariés : c'est elle qui empêche la divergence irrémédiable de leur course. La nécessité qui a brisé l'Un doit aussi le rétablir. Elle implique l'échange et le retour dans les limites du cercle. Mais la nécessité ne doit pas être confondue avec le hasard : τυχεῖν signifie chez Empédocle, rencontre heureuse, réussie. Les éléments ne tombent pas, comme dans le système épicurien, les uns sur les autres au hasard. Ils entrent et ne peuvent entrer que dans le moule qui leur convient, ajustés par la proportion. A travers toute rencontre, l'Un s'accomplit, de telle

---

30. Aristote et Nietzsche, parlant d'Empédocle, insistent également sur ce point : « Dans l'étude des êtres vivants, Empédocle (...) là aussi, nie la finalité, c'est sa plus grande prouesse ». *La Naissance de la Philosophie*, p. 127.
31. « *Elle est Nécessité, apanage des dieux, antique loi,
Loi éternelle que cerclent de larges sceaux.* »

sorte que tout paraît soumis non à la nécessité mais à la finalité de l'amour et de l'unité de la sphère. Mais cet accomplissement de l'un ne se fait que progressivement de telle sorte que, à un moment donné du temps, les unités qui se forment ne sont pas toujours adaptées, ni les formes réussies, donnant l'impression d'une évolution livrée au hasard.

« *En foule croissaient, doubles par la face et le torse*
Des espèces bovines à troncs d'hommes. D'autres surgissaient
Sorte d'hommes à tête de bœuf, mixtes, tenant là du mâle
Et là, ce sont des femelles aux membres d'ombres. »

La naissance de l'homme, par exemple, obéit à la nécessité de la répétition du même et à la loi de l'affinité des éléments. Au cours de la genèse, l'acte premier garde valeur exemplaire. A chacune des phases cosmogoniques et embryonnaires de l'homme correspond une espèce animale[32] : l'homme embrasse et résume toutes les variations de la nature. L'amour a façonné des types définitifs, des modèles de membres et la forme de toutes les parties du corps des animaux ainsi que les variations multiples d'un même organe fut un jour façonné par lui : il n'y a pas aujourd'hui de membres qui n'aient existé autrefois. L'acte sexuel de l'homme reproduit l'assemblage premier des membres, et l'union du mâle et de la femelle, symbole, au sens grec du terme, est le signe d'une unité perdue reconstituée. Les transformations résultent d'une recherche de l'organisme en quête de son équilibre et l'harmonie actuelle du monde est due à une succession d'événements nécessaires, répétant une harmonie déjà accomplie : le mythe permet d'expliquer les structures actuelles. L'évolution des espèces répète l'histoire du tout toujours déjà mythiquement accompli. Elle passe ainsi par quatre étapes marquées par une progression croissante vers l'unité. D'abord, les parties du corps, des membres errants se forment à partir de la terre. La haine

---

32. C'était un des arguments de Freud, dans *Au-delà du principe du plaisir,* en faveur de l'automatisme de répétition.

est plus puissante que l'amour, qui ne peut imposer une union qui maintienne la vie :

« *En foule, la terre fit germer des tempes sans nuque*
Des bras rôdaient, nus, veufs d'épaule
Et des yeux erraient, solitaires, frustrés de front. »

Ensuite, quand l'amour augmente son empire, les membres se réunissent, formant des monstres : c'est le moment où l'évolution paraît livrée au hasard. Dans une troisième étape, les parties complémentaires s'unissent. Enfin, les êtres ne se forment plus à partir des éléments homogènes, mais à partir de l'union des dissemblables : la condition de possibilité en est la beauté des femelles créant une excitation de l'œil qui provoque le mouvement du sperme[33]. L'union sexuelle permet d'accomplir une union plus riche que l'unité individuelle. Elle est un moyen d'aller par-delà la pluralité vers l'unité, œuvrant ainsi à la restauration de l'unité primitive de la sphère.

Ainsi, chez Empédocle, comme chez Freud, il n'y a pas de finalité mais règne la nécessité qui se confond avec la répétition du même dans la différence.

Le style de l'analogie

Un dernier point semble digne de remarque et d'intérêt pour le psychanalyste : c'est le style d'Empédocle qui peut rappeler celui des processus primaires de l'inconscient. Les deux poèmes sont écrits dans le mètre de l'épopée : l'*Iliade* est le modèle suivi par Empédocle pour retracer la geste de l'Un. Le livre I de l'*Iliade*

---

33. On peut donc trouver déjà chez Empédocle l'idée d'une sexualité autre que génitale ; en particulier l'idée que l'œil était une zone érogène ne pouvait qu'intéresser Freud.

commence par la discorde d'Achille et d'Agamemnon, et tout le poème consiste à tenter de rétablir l'unité perdue (« Νεῖχος » est un terme qu'Empédocle emprunte à Homère). Ainsi l'unité de la sphère, rompue par la discorde, tend à se reconstituer à travers le devenir. Le rythme dactylique évoque le mouvement de croissance continue vers l'Un qui traverse le poème, les spondées opposent l'immobilité de l'un au mouvement du devenir. L'opposition des rythmes traduit les antithèses cosmiques. Les enjambements indiquent le désaccord ou l'opposition violente de la haine. La croissance de l'amour et l'unité des êtres se marquent par l'absence de césure : parfois, six à sept vers demandent à être lus d'une traite. Le style d'Empédocle suit entièrement le mouvement même des choses. C'est pourquoi les répétitions sont nombreuses, entremêlées de modifications car le retour est inséparable de la différence. C'est pourquoi aussi, son langage est polysémique et métaphorique : toute désignation est arbitraire, conventionnelle et partielle. Les choses ne se laissent jamais désigner avec rectitude par un seul mot : le mot divise les êtres profondément unis ontologiquement. Ce n'est pas par souci d'ornement poétique et pour rompre la monotonie qu'Empédocle désigne l'amour par Philotès, Philia, Cypris, Aphrodite, Storgê. La polysémie est délibérée pour effacer les limites qu'établit le vocabulaire. Aussi la métaphore est-elle le langage qui convient le mieux à l'Etre. L'analogie est l'instrument privilégié de restauration de l'Un ; elle fait apparaître les affinités originelles. L'unité se retrouve dans la condensation des significations qu'opère la métaphore. La poésie est ici inséparable de la science.

Le fantasme de Freud

La lecture de Freud de la cosmogonie d'Empédocle qui lui confère le statut de paradigme et de contre-épreuve de la dernière doctrine des pulsions, qui présuppose un noyau de vérité analytique à l'œuvre dans le mythe (Empédocle aurait possédé comme une connaissance endopsychique, obscure, de l'inconscient et de ses lois) semble motivée, elle aussi, par la nostalgie de l'unité primitive, par la séduction d'une analogie entre passé et présent, entre poésie et psychanalyse : par-delà la coupure et le gouffre creusé par Socrate (« esprit logique démesuré » « homme théorique » par excellence, selon Nietzsche) Freud renoue avec la tradition présocratique. En privilégiant le mythe sur la science, en affirmant à maintes reprises son propre manque d'originalité, en se montrant fasciné et émerveillé devant le génie d'Empédocle, il met fin à l'ostracisme décrété par la science et la métaphysique contre les présocratiques, déclarés être sans grand intérêt parce que plus poètes que philosophes. Geste de Freud qui le rapproche plus de Nietzsche que d'Aristote ou de Hegel. Mais ce geste est ambigu : affirmer l'identité — ou presque — des points de vue d'Empédocle et de la psychanalyse, c'est effacer les différences, c'est tenter de prendre à Empédocle ce qu'il avait d'imprenable, dépouiller ses poèmes de leur « beauté » en les mettant au service de la cause analytique. Les affirmations répétées d'indifférence à la priorité et à l'originalité ne seraient-elles pas comme autant de dénégations et ne serviraient-elles pas seulement de couverture au fantasme de Freud de maîtriser ses prédécesseurs ? Fantasme qui communique avec celui de toute la métaphysique occidentale depuis Aristote.

Geste de maîtrise, typique, selon Nietzsche, de l'idiosyncrasie des philosophes, qu'il tente d'évaluer généalogiquement en renversant la question des rapports de l'art et de la philosophie : loin de demander quelle part de vérité se trouve dissimulée dans un mythe ou dans un poème, il se demande dans quelle mesure la philosophie elle-même ne serait pas une œuvre d'art et ce qui peut bien rester d'elle quand son système est scientifiquement mort, quand il ne peut plus être réinscrit dans le procès d'une vérité quelconque. C'est l'attention à ce « reste » et à sa qualité d'art qui seule peut, à son tour, maîtriser l'instinct de connaissance (cf. *La naissance de la philosophie* p. 193). On comprend, alors, qu'il soit essentiel, au besoin de maîtrise de la philosophie et de la psychanalyse (mais peut-on encore, dans une perspective généalogique, les distinguer ?) de considérer ce reste comme négligeable, reste « oriental » infantile, mettant en jeu le sérieux de la raison et du travail, destiné à être « relevé » au cours du développement de la vérité.

On comprend alors peut-être un peu mieux pourquoi Freud prenait tant de soin à éviter la lecture de Nietzsche...

Judith

Le tabou de la virginité

Le *Tabou de la virginité* [1] se propose de résoudre l'énigme constituée par l'évaluation étrange de la virginité par les peuples primitifs. Pour eux, la défloration est l'objet d'un tabou ; la consécration de l'hymen s'effectue en dehors du mariage. Paradoxe pour nos civilisations où l'époux se fait honneur d'avoir défloré sa femme, où la défloration entraîne un lien particulier d'assujettissement sexuel, fondement du mariage civilisé monogamique. La psychanalyse pourtant peut justifier ce qui paraît d'abord simple préjugé. Pour résoudre l'énigme, Freud suit un cheminement qui rappelle celui de l'association libre des idées. Son argumentation semble désordonnée ; sont invoqués des faits appartenant à des civilisations différentes, rites religieux ou autres coutumes ; des phénomènes psychiques, normaux ou pathologiques, rêves ou symptômes névrotiques ; des récits de missionnaires ou d'indigènes ; enfin des textes littéraires, conte, comédie ou tragédie. Sa démarche paraît mimer celle du malade sur le divan qui, à l'occasion d'un rêve, fait ressurgir des souvenirs d'enfance, d'autres rêves, qui évoque pêle-mêle des phénomènes psychiques ou d'ordre

---

1. Freud, G.W., XII, pp. 161 et *sq.* ; S.E., XI, pp. 193 et *sq.* (1918). Trad. française in *la Vie sexuelle*, P.U.F., 1969. Nous ne suivons pas toujours cette traduction.

culturel, met toute son expérience à contribution en effaçant les différences, occultant l'hétérogénéité du matériel par l'homogénéité de la fonction qu'il lui fait remplir : les divers éléments ne sont plus que des fragments d'une construction future, hypothétique, chacun éclairant l'autre, circulairement [2]. Ce qui s'effectue spontanément dans une cure est érigé en méthode par Freud. Qu'il n'y a pas d'opposition de nature entre un texte psychique et un texte culturel, tel est le postulat : les mêmes processus inconscients y jouent dans l'un et dans l'autre. Aussi chacun des textes est-il traité tantôt comme une énigme, un symptôme à déchiffrer, tantôt comme l'outil d'une méthode, servant à déchiffrer d'autres textes. Méthode intertextuelle et circulaire que justifient seulement son efficacité au niveau de la cure et son caractère opératoire. Plus que tout autre, elle rend intelligible la totalité d'un texte dans ses détails les plus « insignifiants ». Seule, elle permet d'expliquer pourquoi tel symptôme s'exprime à travers tel symbole. Le recours à la linguistique, au folklore, à la mythologie, au rituel, à l'art [3], fait découvrir un symbolisme commun à toutes les productions psychiques et culturelles, autant de dialectes de l'inconscient faisant écho les uns aux autres [4]. Cette méthode fait apparaître une unité insoupçonnée entre des phénomènes hétérogènes requérant une collaboration entre les disciplines [5]. Un spécialiste ne peut qu'échouer et contribuer à maintenir les hommes dans l'illusion métaphysique.

Dans *Le Tabou de la virginité,* le désordre du discours freudien est *stratégique :* il biffe les oppositions, les distinctions hiérar-

---

2. Cf. *Constructions en analyse,* G.W., XVI, p. 44 : « Quelle sorte de matériel met-il à notre disposition que nous puissions utiliser pour l'aider à recouvrer les souvenirs oubliés ? Toutes sortes de choses. [...] C'est à partir de cette matière première que nous avons à assembler ce que nous recherchons. »

3. Cf. *Nouvelles Conférences : Révisions de la science des rêves,* G.W., XV, pp. 24-25.

4. « Les différentes formes de névrose font écho aux créations les plus estimées de notre culture. » *Préface à Problème de psychologie religieuse de Reik,* G.W., XII, p. 327.

5. Cf. la *Préface à Totem et Tabou* et *l'Enseignement de la psychanalyse dans les universités.*

chiques entre les facultés et entre les hommes, par lesquelles le normal l'emporte sur le pathologique, le civilisé sur le primitif, etc. Il est aussi *méthodique* : à travers lui, Freud vise à construire une ordonnance primitive qui se répète, masquée dans des textes hétérogènes. Substituts originaires d'un invariant qui jamais ne se donne, ces textes ne sont pourtant pas tous mis par Freud sur le même plan : la communauté de la fonction n'est pas incompatible avec une différence structurale. « L'écho » est toujours en même temps une « caricature » de ce qu'il répercute [6]. Les concordances frappantes ne suppriment pas les dissonances. C'est d'elles que tient compte l'ordre de l'argumentation dont l'association libre n'est, elle-même, qu'une caricature. Que l'enquête freudienne commence par un appel aux témoignages de spécialistes et se termine par celui de textes littéraires appartenant à des « genres » différents n'est pas le fruit du hasard ou de l'incompétence d'un simple « profane [7] ». Une méthode rigoureuse est à l'œuvre, allant du plus superficiel au plus profond, du plus refoulé au moins refoulé, du plus général au plus spécifique. Mais pourquoi le texte littéraire est-il ainsi privilégié par Freud ? Lui donner le statut de preuve au sein d'une démarche expérimentale n'est-ce pas méconnaître sa spécificité, confondre « beauté » et « vérité », art et science ? Qu'il se serve de la littérature comme d'une confirmation n'exclut pourtant pas que Freud lui reconnaisse une certaine autonomie mise en lumière par la place qu'il assigne au texte littéraire dans l'argumentation. Refuser par contre « l'application » de la méthode analytique à la littérature pour préserver à tout prix sa spécificité, c'est donner à cette dernière un caractère sacré, c'est réinstaurer le système des oppositions métaphysiques raturées par Freud. Etablir une filiation génétique entre des productions diverses, tout en maintenant une irréductibilité

---

6. « D'une part les névroses présentent des concordances frappantes et profondes avec les grandes productions sociales de l'art, de la religion et de la philosophie, d'autre part elles apparaissent comme des caricatures de ces productions » (*Totem et Tabou*).

7. Ainsi se qualifie-t-il dans *le Moïse de Michel-Ange* et dans *l'Inquiétante Etrangeté* où il suit la même démarche.

structurale[8], est ce que me semble faire Freud et ceci apparaît clairement à qui prête attention à l'ordre de l'argumentation.

Freud commence par un relevé des données fournies par les spécialistes. Krafft-Ebbing fait remonter l'origine de la sujétion sexuelle à la rencontre « entre amour et faiblesse de caractère d'une intensité exceptionnelle » d'une part, et « égoïsme sans limite » d'autre part. L'expérience psychanalytique ne saurait se contenter de cette « simple tentative d'explication ». Crawley livre de nombreuses données, mais il est regrettable qu'il n'ait pas distingué plus soigneusement la simple destruction de l'hymen sans coït et le coït ayant pour but de détruire l'hymen. Quant au matériel, par ailleurs fort riche, fourni par Bartels-Ploss, il n'est à peu près d'aucun secours. Le résultat anatomique et les descriptions qu'en donne l'auteur servent de contre-investissement à la signification psychologique de l'acte de défloration qui est passée sous silence. Si Freud recourt d'abord aux « savants », c'est pour éliminer au plus vite leur témoignage : il ne saurait y avoir de texte objectif car toute perception est préinvestie par le désir et tout regard censure en même temps ce qu'il voit. Décrire, c'est déjà interpréter : « Les auteurs auxquels j'ai eu accès, ou bien étaient trop pudibonds pour s'exprimer sur ce point ou avaient sous-estimé la signification psychologique de tels détails sexuels. » L' « objectivité » est dangereuse, car les rationalisations secondaires qui recouvrent les lacunes de la connaissance passent pour vérités. Des voyageurs ou des missionnaires auraient pu offrir de meilleures informations. Toute tentative d'explication qui fait l'économie de la démarche analytique

---

8. Cf. la parabole de l'arbre de Klee dans sa *Théorie de l'art moderne*. « Cette orientation dans les choses de la nature et de la vie, cet ordre avec ses embranchements et ses ramifications, je voudrais les comparer aux racines de l'arbre [...]. L'artiste se trouve ainsi dans la situation du tronc [...] J'ai parlé tout à l'heure du rapport de la ramure aux racines, de l'œuvre à la nature et expliqué leur différence par l'hétérogénéité des domaines de la terre et de l'air et par celle des fonctions correspondantes de profondeur et de hauteur. Dans l'œuvre d'art [...] il s'agit de la déformation qu'impose le passage à l'ordre plastique avec ses dimensions propres. »

est nécessairement partielle et partiale, ramène un cas particulier à un cas plus général. Ainsi certains tiennent bien compte de la perte de sang lors de la défloration, mais ramènent l'explication du tabou de la virginité à celle du tabou du sang : se trouve alors refoulée la spécificité sexuelle du tabou relié seulement à l'interdiction du meurtre. D'autres réduisent le tabou à celui de la menstruation qui évoque pour le primitif des représentations sadiques. On néglige alors, que dans certains cas touchant précisément à la sexualité, lors de la circoncision ou de l'excision du clitoris, le tabou du sang se trouve levé. Ailleurs on allègue la disposition anxieuse du primitif qui se fait jour, en particulier lors de circonstances inhabituelles. Le tabou de la virginité est alors rattaché à « l'angoisse des prémices ». Là encore l'explication refoule la spécificité sexuelle du tabou. Lorsqu'enfin certains font intervenir la sexualité, c'est dans son sens le plus général. Il s'agirait là d'un cas particulier du tabou de la sexualité explicable par la crainte que provoque la femme, *l'autre* par excellence. Une telle généralité « ne jette aucune lumière sur les prescriptions spéciales concernant le premier acte sexuel ».

Freud, lui, s'attache à la spécificité du tabou en levant le refoulement qui l'occulte. « Refuser ou épargner quelque chose au futur époux » semble en être la fonction propre. Pour éviter de tomber à son tour dans des généralités, Freud exclut d'emblée l'usage d'une méthode génétique qui remonterait à l'origine du tabou en général. Chercher une origine serait vouer l'entreprise à l'échec : le « primitif », l' « originaire » n'existant pas, ils sont toujours déjà recouverts par des significations ultérieures. Ils ne peuvent servir de point de départ : ils sont l'aboutissement d'une construction. Le tabou est un texte dont le sens a été déformé par de nombreux déplacements, corrompu par des rationalisations : « le tabou est tissé dans la trame d'un système habile tout à fait semblable à celui qui se développe dans les phobies ». Le tabou de la virginité est donc comme le texte manifeste d'un rêve dont il faudrait construire le sens latent à l'aide d'autres textes eux-mêmes falsifiés. Il s'agit, à partir de motifs nouveaux, d'établir les « motifs archaïques » dissimulés sous une forme différente dans d'autres textes et dans d'autres contextes. Tout

73

texte est une simple variation différentielle d'un noyau commun qui s'y joue dans la déformation, une version tronquée d'un même texte originaire. On comprend alors qu'on puisse avoir recours pour leur lecture à des faits appartenant à des civilisations différentes, relevant du psychisme normal ou pathologique. Ainsi le comportement des femmes civilisées, qui éprouvent très souvent de la déception après le premier coït, est le point de départ de la recherche. Mais commencer par la femme normale et civilisée n'est dû ni au hasard ni à un ethnocentrisme. En fonction du postulat du « refoulement progressif séculaire [9] », le comportement du normal et du civilisé est le plus refoulé, le plus superficiel, le plus rationalisé. Comme dans une cure où il faut déconstruire les couches les plus superficielles pour atteindre au plus profond en levant progressivement les résistances, Freud part des textes les plus transformés, les plus superficiels, pour aller vers les plus profonds, les moins déformés. Seraient au plus près du texte originaire, le pathologique, le primitif, l'artistique. Paradoxe pour une mentalité commune : moins un texte paraît rationnel, plus il est explicatif, comme ce sont les détails les plus insignifiants en apparence qui sont les plus révélateurs. Méthode de déconstruction analytique parodiant celle de Descartes ou de Durkheim.

Il est dès lors compréhensible que le comportement de la femme normale et civilisée soit éclairée par un comportement pathologique qui « jette une lumière sur l'énigme de la frigidité féminine ». Il apprend que « le danger que crée le fait de déflorer la jeune fille » consiste en ce qu'on s'attire son hostilité. Celle-ci n'est pas éveillée par la douleur, mais semble-t-il par la blessure narcissique qui naît de la destruction d'un organe. Cette explication pourtant n'atteint pas au plus profond comme le montre un détail dans les coutumes nuptiales des primitifs. Le cérémonial comporte le plus souvent deux phases : « après la déchirure (manuelle ou instrumentale) de l'hymen, il y a un coït officiel ou un simulacre de rapport avec le représentant de

---

9. Cf. *L'Interprétation des rêves* et **Totem et Tabou**.

l'époux ». Expliquer par ailleurs la déception après le premier coït, comme conséquence « d'un décalage entre l'attente et l'accomplissement de l'acte » ne va pas non plus assez loin et ne vaudrait que pour les femmes civilisées. Les deux derniers faits cités, apparemment sans rapport, trouvent leur éclaircissement commun dans l'histoire du développement de la libido. Elle apprend que le premier objet d'amour étant le père, l'époux ultérieur est toujours un simple substitut. L'usage des primitifs tient compte du motif d'un désir sexuel ancien, comme la déception de la femme civilisée est symptomatique d'une fixation intense au père. Freud accumule alors les contre-épreuves : le *jus primae noctis* du seigneur au Moyen Age, le mariage à la Tobie, la défloration par l'image ou la statue des dieux en Inde ou dans le cérémonial nuptial romain. Malgré son caractère universel, cette nouvelle explication ne parvient pas encore aux couches les plus profondes. L' « archéologue » a seulement atteint le stade du premier choix objectal. Or, le premier coït active des motions encore plus primitives et plus profondes, celles qui s'opposent à la fonction et au rôle féminins. En témoigne l'envie du pénis des névrosées, envie, qui, au moment du choix objectal, trouve son substitut dans le désir d'un enfant : « La phase virile de la femme où elle envie le garçon pour son pénis est plus ancienne dans l'histoire de son évolution et est plus proche du narcissisme originaire que l'amour objectal. » L'envie du pénis est à rattacher au complexe de castration. Contre-épreuve : certains détails d'un rêve d'une jeune mariée manifestent son désir de châtrer le mari et de garder pour elle le pénis. « Derrière l'envie du pénis se révèle l'amertume hostile de la femme envers l'homme, amertume qu'il ne faut jamais négliger dans les rapports entre les sexes et dont les aspirations et productions littéraires de ces " émancipées " présentent les signes les plus évidents. » Avec la découverte du complexe de castration, l'énigme du tabou de la virginité est résolue : « La sexualité incomplète [10] de la femme

---

10. Cette conception de la sexualité féminine s'inscrit dans toute une tradition dont le père est Aristote. Pour celui-ci, chaque chose réalise sa nature lorsqu'elle atteint son complet développement. Il y a autant de

se décharge sur l'homme qui lui fait connaître le premier acte sexuel. Ainsi le tabou de la virginité prend tout son sens. » Comme le prouve la pratique analytique, il est impossible d'aller plus loin : « On a souvent l'impression qu'en se heurtant au désir du pénis et à la protestation mâle, on vient frapper, à travers toutes les couches psychologiques, contre le roc et qu'on arrive ainsi au bout de ses possibilités [11]. »

Le " thème " de Judith

L'analyse de Freud pourrait donc se terminer là. Pourtant elle continue et s'achève par le témoignage de trois textes littéraires, contre-épreuves de la survivance dans nos civilisations du tabou de la virginité et confirmation de l'ensemble des hypothèses. Alors que le spécialiste présente un texte lacunaire comme vérité, l'écrivain livre la vérité comme illusion et dans l'illusion [12]. Il « joue » le savoir sans le posséder, il le « présente », le met en scène : « La plus puissante présentation (*Darstellung*) sous une forme dramatique connue du tabou de la virginité se trouve dans la Judith de la tragédie d'Hebbel. » L'écrivain a une « sensibilité particulière qui lui fait comprendre le sens, le motif qui sous-tendait le récit tendancieux de la Bible ». Une perception endopsychique est le privilège des artistes, des primitifs, des superstitieux comme de certains psychotiques. Connaissance qui se donne toujours indirectement, projetée dans une œuvre, dans un

---

« natures » qu'il y a de degrés d'achèvement de la forme substantielle de l'essence. Le « droit à la parole » donc au phallus, est lui aussi fonctions des degrés de complétude : cf. supra *Aristote et les présocratiques*.

11. *Analyse terminée et Analyse interminable*, G.W., XVI, p. 99.

12. Nombreux sont les textes où Freud insiste sur la supériorité de la connaissance poétique sur celle de la science, cf. notre *Enfance de l'Art*, Payot, 1970, pp. 60 et *sq.*

mythe, dans un délire paranoïaque ; toujours déformée et déplacée de l'intérieur vers l'extérieur, elle « n'a naturellement rien du caractère d'une connaissance[13]. Ce qui se trouve projeté à l'extérieur est le témoin de ce qui a été effacé de la conscience. C'est dire que le texte littéraire ne peut « présenter » le tabou de la virginité que si l'on consent à le soumettre lui aussi à l'interprétation analytique. La décapitation d'Holopherne n'est un substitut symbolique de la castration que pour qui admet déjà la symbolique des rêves. Si on accepte de voir dans une œuvre une projection des rapports refoulés par l'écrivain, la singularité de la mise en scène se trouve expliquée par le complexe parental de chaque auteur. Aussi Freud adjoint-il à sa méthode comparative une méthode génétique qui permet de saisir les différences par-delà les répétitions d'un même thème.

Mais que signifie qu'un même thème puisse être traité dans des genres littéraires différents ? Qu'est-ce qu'un thème ? Est-ce la nature du matériel, sa richesse qui autorise son traitement diversifié ? Y a-t-il une affinité particulière de tel genre avec tel ou tel matériel ?

Ainsi la sujétion sexuelle de la femme ou de l'homme « explique plus d'un destin tragique » (*Tabou de la virginité*, p. 67, P.U.F.), mais aussi bien des situations comiques peuvent naître du contraste entre la levée de l'interdit sexuel dans le mariage et le caractère tabou qui s'attache à la virginité (p. 75).

Pourtant, d'après *l'Inquiétante Etrangeté*[14], œuvre de Freud qui prend peut-être le plus en considération la spécificité de la littérature, le privilège de l'écrivain serait de pouvoir produire chez son lecteur des effets extrêmement variés à partir d'un même matériel : dans le monde de la fiction le résultat obtenu est indépendant du choix du sujet. L'auteur n'est pas soumis à l'épreuve de la réalité, ce qui élargit son champ de possibilités. La multiplicité des « genres » traduit l'indépendance de la littérature à l'égard de la vie. Il n'y a pas un thème en soi qui serait

---

13. *Psychopathologie de la vie quotidienne*, éd. allem. de poche, p. 217 note.
14. Cf. infra *Le double et le diable*, pp. 138 et sq.

repris secondairement par la littérature. Le thème est corrélatif d'une certaine écriture qui dépend du choix effectué par l'auteur. Mais ce choix n'est pas libre, il est l'effet d'une détermination interne plus contraignante que l'épreuve de la réalité. La licence poétique n'est que l'envers d'une nécessité pulsionnelle. Il est donc possible à la fois de reconnaître la spécificité de la littérature et de montrer sa dépendance à l'égard du psychisme.

L'appel, à la fin du *Tabou de la virginité,* à une comédie, *le Venin de la Pucelle* d'Anzengruber, à un conte de Schnitzler, *le Destin du Baron de Leisenborgh,* à une tragédie, *Judith et Holopherne* d'Hebbel, met en lumière à la fois l'identité du fantasme qui se structure dans les trois textes et l'originalité de chaque écriture interprétative. On peut dire que le « thème » du tabou de la virginité n'existe que dans son type constitué par une certaine lecture. Il n'y a pas une figure de la Judith préexistante à son traitement, texte original qui serait comme la vérité de référence de toutes les Judith possibles. Il y a autant de Judith possibles qu'il y a pour les hommes de possibilités de vivre l'Œdipe. La mise en scène d'un texte renvoie à la scène primitive, toujours déjà refoulée, qui s'y joue, transformée par l'angoisse ou la dérision, en tragédie ou en comédie.

La Judith biblique

Qu'en est-il alors de la Judith biblique ? N'est-elle pas ce texte de référence, mesure de toutes les autres Judith ? En fait le texte biblique est moins « vrai » que celui de Hebbel. Il est constitué de multiples versions contradictoires, symptomatiques d'un refoulement[15]. Dans la Bible, la signification sexuelle de

---

15. Il n'a pas échappé à la lecture de Spinoza qu'un des facteurs de la corruption du texte biblique était le refoulement sexuel. C'est par

l'histoire aurait été dissimulée. Judith peut se glorifier de n'avoir pas été souillée et il n'est pas fait allusion à son étrange nuit de noces avec Manassé. Hebbel aurait intentionnellement sexualisé le récit apocryphe de l'*Ancien Testament*. Il « aurait restitué au sujet son ancien contenu », comme Freud restitue au tabou de la virginité son sens intégral par-delà les interprétations falsificatrices. Le texte de Hebbel contiendrait la vérité du récit biblique, comme celui de Freud permettrait de déchiffrer la pièce de Hebbel [16].

Si l'on s'en tient à la lettre de la Bible, l'histoire de Judith semble illustrer une vision morale des événements historiques : ce n'est pas la force qui triomphe mais la moralité et l'innocence. Les défaites sont des épreuves envoyées par Dieu au juste. Le désastre d'Holopherne, chef d'armée victorieux jusqu'alors, double du tout-puissant Nabuchodonosor, fait éclater d'autant mieux la

---

lui qu'il explique la différence entre le texte et les notes marginales. Ainsi le terme qui signifie « jeune fille » est toujours, sauf dans un passage, écrit sans la lettre *he* tandis que les notes marginales respectent la grammaire. Les notes marginales ne seraient donc pas toutes des leçons douteuses, mais corrigeraient des façons de dire hors d'usage, des mots tombés en désuétude ou ceux que les bonnes mœurs ne permettraient plus d'employer. « Les auteurs anciens, en effet, qui n'avaient point de vice nommaient les choses par leur terme propre sans les circonlocutions en usage dans les cours ; plus tard, quand régnèrent le luxe et le vice, on commença de juger obscènes les choses que les Anciens avaient dites sans obscénité. Il n'était pas nécessaire pour cela de changer l'Écriture elle-même. Toutefois par égard pour la faiblesse d'esprit de la foule, l'usage s'introduisit de désigner en lecture publique le coït et les excréments par des termes plus convenables, ceux-là mêmes qui se trouvent en marge » (*T. Th. Pol*, ch. IX). A l'origine le texte n'a qu'un terme pour désigner les deux genres, comme il n'a qu'un seul pronom pour dire « lui-même » ou « elle-même ».

Le progrès du refoulement semble donc aller de pair avec une accusation de la différence sexuelle. Refoule-t-on de plus en plus par là la bisexualité originaire par une angoisse de castration accrue ?

16. Freud établit entre la clarté psychanalytique et l'obscurité du savoir poétique le même rapport qu'Aristote entre la philosophie et le mythe. L'un comme l'autre procèdent à une réduction rationaliste du mythe et du symbole. Le mythe contient en puissance et confusément une vérité que la philosophie actualise. Cf Aristote, *Métaphysique A.* et supra.

puissance de Dieu, qu'il est le fruit d'un stratagème inventé par une simple femme. L'accent mis sur sa beauté, remarquée à maintes reprises, signalerait seulement le moyen utilisé par sa ruse. Judith n'est qu'un instrument aux mains de Dieu et, comme l'indique son nom, elle s'identifie au peuple juif tout entier : après avoir décapité Holopherne, elle demande qu'on expose sa tête sur les remparts car elle appartient à tous. La piété de Judith, sa chasteté sont les signes de son élection particulière. Aucune motivation psychologique ne semble justifier son action.

Pourtant certains détails laissent deviner une motivation sexuelle refoulée : la Bible donne plusieurs versions de la nuit que Judith passa avec Holopherne ; toutes, elles soulignent, sur le mode de la dénégation, que Judith s'est sortie de l'affaire « sans honte et sans déshonneur ». Autre détail révélateur : Judith décapite Holopherne pendant son sommeil et en le saisissant par les cheveux. Elle rappelle Dalilah coupant la chevelure de Samson, Yaël enfonçant dans la tempe de Siséra un piquet de la tente où il était venu se réfugier, et toutes deux, là encore, opèrent pendant le sommeil de leur victime. Le sommeil succédant en général au coït, bien que dans la Bible il soit mis au compte de l'ivresse, on peut supposer que dans les trois cas l'acte commis est bien un équivalent symbolique de la castration : « La femme est autre que l'homme, éternellement incompréhensible, pleine de secret, étrangère, et pour cela ennemie. L'homme redoute d'être affaibli par la femme, d'être contaminé par cette féminité et de se montrer alors impuissant. L'effet endormissant, détendant du coït peut être le prototype de cette inquiétude[17]. » Par ailleurs, quand Judith se rend auprès d'Holopherne, elle revêt le « costume de joie qu'elle mettait du vivant de son mari ». La Vulgate s'empresse alors de préciser que tout cet ajustement n'est pas inspiré par la volupté mais par le courage. Enfin, même dans la Bible, il est possible de déceler un lien entre la décapitation et le tabou de la virginité. Lorsque les Hébreux font le récit des différents méfaits commis par les Assyriens, ils citent, sans distinction particulière, les rapts de femmes, les massacres d'enfants, les

---

17. Freud, *le Tabou de la virginité*.

destructions de villes, les incendies des champs, les vols de troupeaux. Judith, elle, dans les deux prières qu'elle adresse à Dieu, met au premier plan les viols des vierges et elle signale qu'en prenant leur défense elle suit seulement l'exemple de son père Siméon. C'est ce lien particulier à son père qui explique, peut-être, que Judith ait une conception de Dieu qui tranche sur celle des autres Juifs : ceux-ci ont avec Dieu un rapport mercantile ; ils le mettent à l'épreuve, exigent des garanties, lui imposent des délais. Judith demande qu'on lui fasse une confiance absolue ; la toute-puissance de Dieu implique qu'il puisse intervenir quand bon lui semble : les hommes n'ont qu'à s'humilier et à s'incliner devant elle. Enfin, si Judith peut s'identifier à tout son peuple, c'est, parce qu'en tant que femme, elle peut le mieux ressentir son humiliation. Le triomphe de Judith sur Holopherne ne répète donc pas seulement celui de David sur Goliath ; malgré le refoulement du récit, il est possible de trouver à l'acte de Judith une motivation dans le narcissisme originaire et dans une fixation au premier objet d'amour.

La Judith de Hebbel

La pièce de Hebbel, dit Freud, sexualise plus clairement le récit. Pourtant, les motifs qu'apporte l'auteur pour rendre compte des transformations introduites ne sont pas ceux que donne Sadger (dans une analyse que Freud qualifie d'excellente) [18]. Leur divergence s'expliquerait par le fait que les intentions déclarées d'un auteur servent toujours de façade et sont destinées à cacher ce dont l'écrivain est lui-même inconscient [19]. Dans une lettre,

---

18. *F. Hebbel, ein psychoanalytischer Versuch*, Wien 1920.
19. Cf. *Dostoïevski et le Parricide*, où Freud dit la même chose à propos des déclarations de S. Zweig concernant *Les 24 heures de la vie d'une femme*.

Hebbel indique que le récit biblique n'est pour lui qu'un prétexte, qu'il n'a pas la moindre intention de reconstituer une vérité historique : « Le fait qu'une femme perfide coupe un jour la tête à un héros me laisse indifférent et même m'indigne sous la forme que lui donne la Bible. » Indignation qui le conduit à transformer Judith en une vierge-veuve. Il s'en explique très longuement. La raison majeure invoquée est que la Judith biblique serait absolument impossible dans un drame : il serait invraisemblable qu'elle puisse consentir au sacrifice en en connaissant le prix, comme il serait contraire à la naïveté d'une vierge qu'elle puisse même y penser. Il faut donc que Judith soit à la fois mariée et n'ait pourtant pas été touchée par son mari. Manassé doit en conséquence avoir été empêché de l'approcher pendant la nuit de noces. Par quoi « cela peut être, et c'est en quoi réside le secret, est entièrement indifférent. Que chacun suppose ce qu'il veut, une vision, un spectre, peu importe. Ce qui importe est la conséquence de cette apparition. La motivation dramatique de l'exploit ultérieur est conditionné par un mariage blanc antérieur [20] ». Il eût été aisé de trouver une explication rationnelle à l'impuissance de Manassé. « Que chacun suppose ce qu'il veut » semble être, comme l'indique Sadger, un rejet révélateur de l'inconscient de l'auteur. Que Hebbel lui-même parle de secret, n'est-ce pas nous inviter, sinon à fouiller dans son propre inconscient, du moins à user de la méthode analytique pour résoudre l'énigme de l'impuissance de Manassé ? De fait, la pièce par elle-même offre assez d'éléments pour trouver le « secret », et l'on ne peut que s'étonner avec Hebbel de l'interrogation suscitée par cette fameuse « apparition [21] ». Il est de la première importance de noter le lien étroit établi par Hebbel lui-même entre la nuit de noces et la décapitation d'Holopherne, l'une conditionnant l'autre. On sait aussi que Hebbel commença par écrire le cinquième acte de la pièce. Il raconte comment, alors qu'il se destinait à une carrière juridique, il en vint à écrire son premier drame et comment le thème de la Judith s'imposa alors à lui : « J'avais vu peu de

---

20. Cité par Sadger.
21. Lettre de janvier 1843, citée par Sadger.

temps auparavant un tableau qui représentait Judith tenant la tête d'Holopherne. Cela m'avait laissé une si forte impression que je n'avais pas besoin de chercher un thème parce que le thème de la Judith s'imposait de lui-même. Au cours de la nuit, le cinquième acte fut prêt, celui de la catastrophe décisive (...). En quinze jours la *Judith* fut achevée [22]. » Si l'on se rappelle que « Tout élément ressurgi du passé s'impose avec une puissance particulière [23] », on peut supposer qu'à l'occasion de la contemplation d'un tableau, un élément du passé de Hebbel ressurgit, donna naissance à un affect qui se déchargea dans une « création » dramatique [24], comme l'arrêt de Manassé devant une vision étrange doit être rattaché à un retour du refoulé. Peut-être doit-on aller plus loin et dire que c'est la même chose qui impressionna Hebbel et Manassé, en tout cas qui provoqua le retour d'un même affect : l'angoisse de castration. A Judith il paraît inquiétant et étrange (*Mir ward's unheimlich*) que Manassé fut comme brusquement frappé de paralysie. Elle comprend obscurément que l'impuissance de son mari a une cause inconsciente : « Nous allions côte à côte, nous sentions que nous nous appartenions mutuellement, mais quelque chose était entre nous, quelque chose d'obscur, d'inconnu [25]. » L'effet d'inquiétante étrangeté est toujours produit par le retour d'un refoulé, même travesti, sous forme de spectre ou de fantôme. Le « génie » de Hebbel, ici, est qu'il ait pu composer un texte qui condense en lui plusieurs interprétations possibles, sorte de compromis entre les significations consciente et inconsciente. Le contexte de la nuit de noces laisse deviner que l'objet qui s'interpose entre Judith et Manassé et qui provoque l'angoisse de castration est la mère. Tout fait supposer

---

22. Cité par Sadger.

23. *Moïse et le monothéisme* G.W., XV, p. 150.

24. « Une bonne Nature a donné à l'artiste la capacité d'exprimer ses impulsions psychiques les plus secrètes, celles qui lui échappent à lui-même, au moyen des œuvres qu'il a créées, et ces œuvres ont un effet puissant sur ceux qui sont étrangers à l'artiste et qui également ignorent la source de leur émotion » (Freud, *Un souvenir d'enfance de Léonard de Vinci,* G.W., VIII, p. 178).

25. Acte II. Nous suivons dans l'ensemble la traduction de G. Gallimard et P. Lanux actuellement épuisée (N.R.F., 1911).

que Manassé assimila alors Judith à sa mère, comme Judith s'iden-
tifia elle-même à sa propre mère morte. L'impuissance de Manassé
serait donc provoquée par la crainte de l'inceste qui justifie
l'angoisse devant les organes génitaux féminins ; la peur de la
castration en est une conséquence. La « paralysie » psychique de
Manassé est analogue à celle dont la Méduse est la cause [26]. La
scène de la nuit de noces est comme une répétition théâtrale qui
prépare la scène de la décapitation. L'hostilité de Judith, à l'égard
d'Holopherne, est d'autant plus violente que sa décharge de
haine à l'égard de Manassé n'a pu s'effectuer et s'est reportée sur
elle-même. On peut donc voir dans la *Judith* de Hebbel une illustration parfaite de la réaction d'hostilité déclenchée chez la femme
par l'atteinte à sa virginité. La « puissance » de la mise en scène
de Hebbel tient à ce qu'elle condense en une seule œuvre les
différents motifs exposés par Freud à partir de pièces détachées
et fragmentaires. Il s'y tisse un lien entre l'hostilité de la femme
et la fixation au père, le narcissisme des petites différences, l'envie
du pénis.

Si la nuit de noces prépare dramatiquement la nuit avec
Holopherne, c'est parce que, psychologiquement, le dernier acte
est une répétition de ce qui est relaté au second. Le futur est toujours déjà annoncé dans le passé : la compulsion à la répétition
joue dans la tragédie le rôle du destin. Dès que Judith apparaît,
elle raconte un rêve auquel elle donne un sens prémonitoire :
« Lorsque l'homme repose dans le sommeil délié et non plus
retenu par la conscience de soi, un sentiment de l'avenir refoule
toutes les pensées et les images du présent, et les choses futures
sont des ombres qui glissent à travers l'âme, la préparent, l'aver-
tissent, la consolent. De là vient que nous sommes si rarement
surpris en vérité. Le sommes-nous jamais ? »

Lorsque, au dernier acte, elle décapite Holopherne, elle
éprouve un sentiment de « fausse reconnaissance » : « Hélas
encore ! il me semble que j'y avais déjà songé ! »

Dans le rêve de Judith, se jouent des représentations et des

---

26. Cf. Freud, *Les Nouvelles Conférences. Révisions de la science
des rêves.*

affects qui peuvent annoncer l'avenir parce qu'ils répètent déjà le passé. C'est un rêve d'angoisse : Judith se sent poussée sur un chemin escarpé sans savoir où il mène et elle éprouve un sentiment de culpabilité. Parvenue à un certain endroit, elle ne peut plus avancer ni reculer et elle se trouve alors au bord d'un précipice. Le rêve exprime métaphoriquement un conflit pulsionnel : opposition d'une marche vers les hauteurs, vers une montagne, illuminée par le soleil (expression des aspirations du surmoi), et d'une chute dans un précipice (expression des désirs du ça). Le rêve indique aussi que le désir sexuel de Judith, pour pouvoir se satisfaire, devra être contre-investi par une motivation religieuse. Hebbel semble avoir « su » que le refoulé dans son retour émerge de l'instance refoulante elle-même : pour pouvoir jouir, elle doit transformer sa volupté en devoir et consacrer sa beauté à Dieu [27] ; au bord du précipice, elle appelle Dieu à son secours et c'est alors du gouffre même qu'elle entend sortir une « voix douce, accueillante », elle s'élance vers elle et « se sent ineffablement bien ». Mais elle est trop lourde, elle tombe des bras qui la soutenaient et pleure : la satisfaction du désir avec le père ou son substitut ne peut qu'être funeste. La suite de la pièce développe ce qui est dit dans le rêve sous forme condensée. A l'acte III, Judith, après avoir jeûné pendant trois jours et prié Dieu, comprend que « le chemin qui mène à [son] acte passe par le péché » et que Dieu a le pouvoir de transformer l'impur en pur. Mais elle n'est pas dupe de ses propres rationalisations ; elle sait que la motivation religieuse de son acte recouvre une motivation sexuelle et narcissique. En témoignant sa joie de voir Ephraïm refuser d'aller tuer Holopherne, sa crainte de voir l' « Ancien » s'offrir en victime : l'existence d'un véritable héros eût rendu superflue sa propre existence. Seule une grande action peut la rendre égale,

---

27. Cf. Schreber qui élabore tout un système délirant lui permettant de concilier sa croyance en Dieu avec une jouissance sexuelle interdite de type homosexuel. Cf. G.W., VIII, p. 244. Cf. aussi la *Gradiva* où Norbert recouvre les motivations érotiques de ses actes par une motivation scientifique : « Il ne faut pas oublier que la détermination inconsciente ne peut rien réaliser qui ne satisfasse en même temps à l'activité scientifique consciente. »

sinon supérieure, à tous les hommes, ce qu'elle désire par-dessus tout. La signification ambiguë de sa piété ne lui échappe pas non plus. La prière est pour elle un moyen « de prendre haleine pour ne pas étouffer ». Elle « s'abîme en Dieu », comme dans un gouffre, pour lutter contre ses propres fantasmes et chercher en même temps une solution à ses conflits. Prier est, pour elle, à la fois, mourir à son désir, se suicider, en s'identifiant à sa mère morte, et renaître grâce au soutien paternel qu'elle y trouve : « Dieu ! Dieu ! il me semble que je dois m'accrocher à toi comme à qui menace de m'abandonner pour toujours ! »

« On me croit pieuse et craignant Dieu [...]. Si j'agis ainsi, c'est que je ne sais plus me sauver de mes pensées. Je prie alors pour m'abîmer en Dieu. Ce n'est qu'une manière de suicide ; je me précipite dans l'Eternel comme les désespérés dans l'eau profonde [28]. »

Le conflit pulsionnel exprimé dans le rêve, et qui est une des clés du comportement de Judith, joue déjà un rôle décisif dans la nuit de noces avec Manassé. Il se manifeste par l'union étroite qu'établit Judith, à plusieurs reprises, entre la sexualité, la mort et la folie ; il se traduit par une ambivalence au niveau du sentiment : joie et angoisse sont éprouvées simultanément par elle, aussi bien dans le rêve, dans la scène avec Manassé et lors de la décapitation d'Holopherne. Cette angoisse pourrait être interprétée comme une conséquence de l'impuissance de Manassé. Ainsi, lors de la nuit de noces, elle semble s'apaiser provisoirement par une décharge de larmes et de rires, équivalent substitutif du coït qui n'a pas eu lieu [29]. Mais elle est produite aussi par la culpabilité. Elle se sent responsable sans savoir pourquoi de l'échec de sa nuit de noces : « Ma beauté est celle de la belladone. En jouir, c'est être frappé de délire ou de mort. » Folie et mort qu'elle appelle en vain à l'aide après avoir accompli son « forfait ». En vain, car elle est trop lucide : « J'appelle seulement

---

28. Cf. une attitude analogue d'une héroïne de J. Green, in *Si j'étais vous,* Plon, pp. 249 à 259.

29. Cf. Freud, « Fragments posthumes », in *l'Arc,* numéro consacré à Freud.

la folie, mais son crépuscule m'envahit à peine et se retire et la nuit ne vient pas. Il y a dans ma tête mille trous de taupe, mais tous sont trop étroits pour mon grand et gros esprit et c'est en vain qu'il cherche à se tapir. » Pourtant, avant même d'avoir vu Manassé, elle est déjà la proie de sentiments contraires ; son cœur se serre à chaque pas qui la porte vers lui : « Je croyais tantôt que j'allais cesser de vivre, tantôt que je commençais à peine. » Plus qu'à son jeune âge, c'est à la présence de son père qui l'accompagne qu'il faut peut-être attribuer la honte et l'angoisse qu'elle ressent à la montée du désir. Elle ne peut s'empêcher de comparer son futur époux à son père : « Mon père marchait à mon côté, il était très grave et tenait bien des propos à quoi je ne prêtais pas attention ; parfois je levais les yeux vers lui, puis songeais : " Certes Manassé doit être différent. " » La fixation œdipienne se réveille ici et elle explique l'éveil en Judith de la culpabilité : lorsqu'elle voit la mère de Manassé, d'emblée, elle éprouve de l'hostilité à son égard ; elle justifie ce sentiment par le fait qu'elle a l'impression de commettre un sacrilège en l'appelant du nom de mère. Il faut voir dans cette explication une rationalisation. Son hostilité semble être due à une projection sur la mère de Manassé des sentiments qu'elle devait éprouver envers sa propre mère ; celle-ci lui dérobait la présence de son père, comme la mère de Manassé la sépare toujours déjà de son époux. Pendant la nuit de noces, elle les épie, comme elle-même devait épier ses parents. Manassé et sa mère forment un couple ligué contre elle : « Sa mère me regarda d'un air sombre et railleur ; je compris qu'elle avait épié : elle ne me dit pas un mot et s'en fut dans un coin chuchoter avec son fils. »

L'identification de la mère de Manassé à sa propre mère morte explique donc l'ambivalence des sentiments de Judith et qu'elle vive la cérémonie nuptiale comme une cérémonie funèbre. Si Manassé éprouve face à Judith une angoisse de castration, Judith, elle, s'explique l'impuissance de Manassé comme le fruit d'une vengeance exercée par sa mère revenue du tombeau pour la punir, pour lui reprendre son époux : « Ce fut comme si d'en bas la sombre terre étendant une main l'avait saisi », dit-elle. La Mère, la Femme, la Mort : « Ce sont là les trois figures prises par la mère au cours de la vie humaine : la mère elle-même, la femme aimée qui est choisie d'après son modèle et enfin la Terre Mère qui le reçoit une fois de plus [30]. » Hebbel semble avoir condensé en un seul moment les trois rapports qu'un homme a successivement avec une femme. Même si Manassé n'avait pas été impuissant, il est aisé de supposer que Judith n'eût pas été satisfaite et qu'elle l'eût décapité, du moins symboliquement : chacun des regards que lui lance par la suite son mari sont pour elle comme autant de flèches empoisonnées auxquelles elle ne peut se soustraire qu'en donnant la mort : « Parfois son regard se posait sur moi avec une expression qui me faisait frémir ; en un tel moment j'aurais pu le saisir à la gorge, par frayeur, par défense légitime. »

Mais le comportement de Judith ne s'explique pas seulement par la déception ni non plus uniquement par une fixation au père. La motivation principale de toute sa conduite semble bien être l'envie du pénis que Freud rend responsable justement du tabou de la virginité. Aucun des motifs n'exclut l'autre, ils se complètent tous. Les sentiments que Judith éprouve, après l'échec de la nuit de noces, s'expliquent certes par la déception : « Une vierge est une créature folle qui tremble de ses propres songes, car un songe peut lui porter un mortel dommage et elle ne vit pourtant que de l'espoir de ne point demeurer vierge éternellement. Il n'est pas de moment plus grave pour une vierge que celui où elle cesse de l'être et chaque élan de son sang qu'elle avait refréné, chaque soupir qu'elle avait étouffé, exalte le prix du sacrifice qu'elle offre alors. Elle s'offre tout entière, est-ce une exigence trop fière si elle veut tout entière inspirer le ravissement et la joie suprême ? » Mais pourquoi une déception provoquerait-elle de la haine envers soi-même, de la honte, et l'impression d'avoir été souillée ? Ces sentiments ne peuvent se comprendre qu' « après coup » : ce sont les mêmes que Judith éprouve après avoir été déflorée par Holopherne ; les mêmes mots, honte, souillure, dégradation, se trouvent alors répétés par elle. Dans les deux cas,

---

30. Freud, « Le thème des Trois Coffrets », in *Essais de Psychanalyse appliquée.*

elle ne peut accepter que la condition de la femme soit la honte et le néant. Qu'elle perde ou non sa virginité, elle éprouve la même blessure narcissique tout simplement parce qu'elle n'est qu'une femme, c'est-à-dire un être mutilé, incomplet et impur, souillé parce qu'incomplet. L'impuissance de Manassé est ressentie comme une offense, comme un refus manifeste d'accepter ses offrandes. Elle se sent alors « de trop », inutile, parce qu'elle n'est rien ou traitée comme un rien. Dans les bras d'Holopherne, elle se sent défaillir, perdre tout contrôle d'elle-même. Avec la perte de sa virginité, c'est tout son être qui s'effondre et elle sent alors sa dépendance insupportable à l'égard de son corps. « Le désir qui s'endort emprunte à tes propres lèvres assez de feu pour commettre un forfait sur ce que tu as de plus sacré, où tes sens mêmes, comme des esclaves enivrés qui ne connaissent plus leur maître, se soulèvent contre toi. »

Si Judith se déteste, c'est parce que, l'intégrité corporelle lui étant refusée, elle ne peut s'aimer elle-même que dans un autre, dans l'homme qui la complète, dans l'enfant, pénis substitutif. A sa suivante Mirdza qui essaie de la détourner du suicide par un appel au narcissisme (« Tu ferais mieux de regarder un miroir »), elle répond : « Ah ! folle, connais-tu un fruit qui sache se manger soi-même ? Il te vaudrait mieux n'être jeune ni belle que l'être pour toi seule. Une femme est un néant ; elle ne devient quelque chose que par l'homme. Par lui elle devient mère. L'enfant qu'elle met au monde est le seul tribut de reconnaissance qu'elle puisse apporter à la nature en retour de sa propre existence. Malheureuses les femmes stériles, et moi doublement malheureuse, qui ne suis point jeune fille, femme non plus. » Judith hait Manassé qui lui a refusé le pénis substitutif qui aurait pu la combler, Manassé dont l'impuissance est le signe manifeste du danger que représente pour l'homme le sexe féminin. Manassé, en mourant, accuse Judith d'avoir été responsable de sa « folie », sans pourtant révéler le mot de l'énigme que Judith s'est efforcée en vain de lui arracher. Nouvelle blessure narcissique, car en mourant ainsi il dérobe à Judith une partie de son être : « Il me parut qu'il allait s'enfuir sournoisement avec un butin volé au plus secret de moi-même. « L'énigme est en effet celle de la féminité et l'envie du pénis est la solution.

Que l'enfant puisse seul satisfaire substitutivement cette envie est dit explicitement à plusieurs reprises : « Si nous enfantons c'est afin de posséder deux fois notre corps et de pouvoir l'aimer dans l'enfant où il nous sourit en toute pureté et sainteté, lorsqu'il faut le haïr et le mépriser en nous-mêmes », dit une mère, la même peut-être, qui, sous l'emprise de la faim, finira par dévorer son enfant accomplissant par là en acte ce qu'elle n'avait réalisé jusqu'alors que symboliquement[31]. Rapport dévorateur de la mère à l'enfant qui rend compte de l'angoisse de castration.

Le destin tragique de Judith c'est qu'elle ne pourrait être comblée que par un enfant et que celui-ci lui est toujours refusé, soit de par l'impuissance de son mari, soit de par son propre rejet : un enfant d'Holopherne ne peut qu'entraîner sa mort. C'est le prix qu'elle demande aux Hébreux en guise de récompense. A la fin de la pièce, elle prie Dieu de la laisser stérile. La peur qu'a Judith de mettre au monde un fils d'Holopherne a un sens sur-déterminé : les fils ressemblant à leur père, ce qui est, pour les autres, reflet de pureté et d'intégrité, serait, pour elle, rappel constant de « son forfait » sexuel. De plus, attendre un enfant d'Holopherne serait le signe que l'acte qu'elle a accompli en le couvrant d'une motivation patriotique et religieuse n'a rien de surnaturel, n'est marqué en rien par une élection exceptionnelle de Dieu. Au contraire, en la rendant féconde, Dieu la désigne aux yeux de tous comme une pécheresse qui a commis un acte contre-nature en se voulant l'égale d'un homme. On pourrait dire aussi que, par culpabilité et masochisme, elle ne saurait accepter d'être comblée, ou encore plus profondément qu'elle ne peut accepter d'être une femme comme les autres. Devant Holopherne qui la raille en disant : « Pour me protéger de toi, je n'ai qu'à te faire un enfant », elle se targue d'être différente de ses semblables : un pénis substitutif est trop peu pour elle ; elle voudrait être Holopherne lui-même, l'égaler en accomplissant un acte

---

31. Cf. G. Roheim, *Psychanalyse et Anthropologie*, les mœurs des mères australiennes.

héroïque. Mais dérision : tous peuvent après « son exploit » la considérer comme un héros surpassant tous les autres, hormis elle-même. Elle sait qu'elle n'a accompli le « sacrifice » que pour se venger d'avoir été traitée comme une catin, d'avoir été dégradée, souillée, humiliée. Après l'acte sexuel et meurtrier, toute motivation patriotique est oubliée. C'est pourquoi elle refuse toute récompense, comme elle refuse, contrairement à la Judith biblique, de « céder » la tête d'Holopherne pour l'exposer sur les remparts : « Cette tête », substitut phallique, « est ma propriété », dit-elle. En décapitant Holopherne, elle donne en même temps la signification de son acte : « Ah ! Holopherne, fais-tu cas de moi désormais ? »

En tuant Holopherne, Judith se venge donc de n'être qu'une femme, blessure narcissique ravivée par le premier acte sexuel. Si Holopherne l'avait épargnée, jamais elle n'aurait pu le décapiter, car à la différence de la Judith biblique elle ne peut s'identifier à son peuple qui lui rappelle trop sa propre faiblesse : les Hébreux sont méprisables, efféminés ; son nom, Judith, en tant que symbole de son appartenance au judaïsme, lui fait mal ; elle se plaît à voir les Hébreux sans force pour mieux se substituer à eux. Le personnage d'Ephraïm est dans la pièce le symbole de la faiblesse du sexe masculin : « Si ta lâcheté est celle de ton sexe tout entier, si tous les hommes ne voient dans le danger que le conseil de s'y soustraire, alors une femme aura conquis le droit à une grande action. »

En s'emparant du propre glaive d'Holopherne pour le décapiter, Judith à la fois châtre l'homme et prend pour elle le phallus ; en même temps elle se punit, car elle se prive du « premier » et du « dernier homme qu'il y ait eu sur terre ».

La revendication phallique de Judith se trouve soulignée par Mirdza : « Une femme doit enfanter des hommes, jamais elle ne doit tuer des hommes. » Judith, elle, se cache le caractère « contre nature » de son acte ; le surnaturel sert ici de couverture : seul Dieu peut faire qu'une femme ait plus de courage qu'un homme comme seul il peut faire qu'un frère tue un frère, qu'une mère dévore son enfant. L'épisode de Daniel le prophète est nécessaire pour que Judith puisse croire davantage en ses propres rationalisations, pour la convaincre que les voies de Dieu passent par le péché. En réalité, Judith est bien l'égale d'Holopherne, cet autre monstre devant lequel la nature elle-même tremble : « La nature tremble devant l'accouchement colossal de son propre flanc, et elle n'enfantera pas un second homme semblable sinon pour anéantir le premier. » Ce semblable, c'est Judith, double féminin d'Holopherne, tous deux héros tragiques par leur démesure, par leur ὕϐρις qui les place au-dessus ou en deçà du reste de l'humanité. Holopherne correspond à l'idéal du moi de Judith : « O je voudrais être toi, rien qu'un jour, rien qu'une heure », dit-elle s'adressant à Holopherne. Celui-ci est pour Judith à la fois le substitut de son premier objet d'amour, le père (ou Dieu), et celui qui répond le mieux aux exigences de son narcissisme blessé. Le choix d'objet selon le type par étayage coïncide ici avec celui qui se fait selon le type narcissique [32]. Holopherne lui-même se prend pour un dieu et Achior le décrit à Judith dans les mêmes termes qu'il décrivait à Holopherne le Dieu des Hébreux. Holopherne est donc bien pour Judith celui qui peut remplacer le père mort et faire oublier Dieu. Mais il est surtout le seul homme auquel elle voudrait ressembler, le seul qui puisse à la fois la combler et l'humilier : « Toute femme a le droit d'exiger de tout homme qu'il soit un héros. En voyant un homme, ne penses-tu pas voir ce que tu voudrais, ce que tu devrais être ? Un homme peut excuser d'un autre la lâcheté, jamais une femme. Pardonnes-tu à l'appui s'il se brise ? A peine peux-tu lui pardonner de t'être nécessaire. »

Si dans la *Judith* de Hebbel le personnage de Judith « présente » bien sur scène le sens du tabou de la virginité, le personnage d'Holopherne (dont ne parle pas du tout Freud) [33] est non

---

32. Cf. *Pour introduire au narcissisme :* « On aime 1) selon le type narcissique : *a)* ce que l'on est soi-même ; *b)* ce que l'on a été soi-même ; *c)* ce que l'on voudrait être soi-même ; *d)* la partie qui a été une partie du propre soi. 2) selon le type par étayage : *a)* la femme qui nourrit ; *b)* l'homme qui protège. »

33. D'une façon générale, ici, comme ailleurs, Freud donne seulement un vague « résumé » du texte utilisé. « Supplémentairement », nous pratiquons donc nous-mêmes l'analyse textuelle de l'œuvre, ce qui

moins nécessaire à sa compréhension ; d'ailleurs le titre de la pièce est : *Judith et Holopherne*, et Hebbel introduit un équilibre remarquable dans l'importance accordée respectivement aux deux héros. Le premier acte est entièrement consacré à Holopherne ; le deuxième à Judith ; le troisième prépare leur rencontre qui ne s'effectue qu'au quatrième. Holopherne, à première vue si différent de Manassé, a un destin commandé, lui aussi, par la peur de la castration. Mais elle se trouve chez lui recouverte et surcompensée par un narcissisme exorbitant. Il voudrait être tout-puissant comme le Dieu des Hébreux, contraindre tout l'univers à s'agenouiller devant lui. Judith, comme Achior, semble subjuguée par un tel homme : « Homme effroyable, tu t'imposes entre moi et mon Dieu. Ce serait l'instant de tuer et je ne peux pas. » Néanmoins Holopherne ne saurait être aussi fort que le Dieu des Juifs, car il appartient au devenir et est mortel : « Ce visage qui n'est qu'un seul regard, un regard dominateur et ce pied devant qui la terre qu'il foule semble se dérober en tremblant [...]. Mais un temps fut où il n'était pas encore né, un temps peut venir où il ne sera plus », dit Judith avant même d'avoir vu Holopherne. Une menace de mort pèse sur celui-ci en permanence qui bat sans cesse en brèche son narcissisme. C'est pour lutter contre la peur de la mort qu'il édifie un système de défenses mégalomaniaques ; il rêve de pouvoir s'être engendré lui-même comme de pouvoir décider de l'heure de sa mort. Le narcissisme primaire par lequel l'homme désire être à lui-même ses propres géniteurs et posséder l'immortalité commande la conduite d'Holopherne. Mais désirer être *causa sui* implique le désir corrélatif de tuer ses propres parents. Au père d'Holopherne il n'est fait aucune allusion dans la pièce. Néanmoins, on peut voir en Nabuchodonosor un substitut parternel. Or Holopherne, très différent en cela de l'Holopherne biblique, n'obéit à son roi, ne lui asservit des peuples, que pour pouvoir mieux le renverser un jour. Pour Nabuchodonosor, il n'a que mépris : le « père » est tourné en dérision :

n'est pas sans provoquer certains déplacements par rapport à la lecture freudienne.

« Il prend à la main son casque brillant et fait ses dévotions devant sa propre image. Il faudra seulement qu'il se garde des coliques, afin de ne point s'effrayer par des grimaces. » Ridiculisé par le « fils », un tel père ne saurait être divinisé. D'où le scepticisme d'Holopherne à l'égard des dieux tenus pour interchangeables simples produits de décrets humains, conventionnels Le seul garant d'une divinité effective est la force, et c'est bien grâce à la force du fils que Nabuchodonosor passe pour un Dieu : « Le crieur public le consacre Dieu et moi je dois livrer au monde l'épreuve de sa divinité. » « L'humanité doit enfanter un dieu, mais dans un éternel combat avec l'univers il doit lui prouver sa force. » S'il est invincible, le dieu des Juifs est alors un vrai dieu. Sans le connaître, Holopherne le prend comme modèle. Mais il en est la parodie. Comme lui, il aimerait pouvoir « sonder les reins et les cœurs » de son entourage et rester énigme pour tous. Comme il donne en pâture l'idole de la veille à celle du lendemain, ainsi chacune des figures successives qu'il revêt pour mieux échapper à autrui lui sert tout à tour d'aliment pour constituer une figure nouvelle. Par cette création continue de lui-même qui ne se soumet à aucun idéal du moi, il reprend en charge indéfiniment sa propre existence, déniant la scène primitive et répétant le meurtre du père. Refusant de s'identifier à un objet total, Holopherne ne peut que nier l'identité du sujet et faire triompher successivement chacun de ses désirs dans une dépense sans réserve. Par là il se sent supérieur aux éléments naturels, tous domptés par l'homme. Se créer continûment, c'est aussi se donner continûment la mort, c'est donc pouvoir s'imaginer qu'il est possible de se tirer du néant et de s'y plonger à volonté. « Je hache en pièces gaiement l'Holopherne d'aujourd'hui et le donne en pâture à celui de demain. » Par ces créations et « décréations » renouvelées, Holopherne ne voudrait faire qu'un avec la fluctuation renaissante et éternelle de la vie. Contre le morcellement schizoïde de son moi, il n'a qu'une arme, l'unification narcissique et la défense mégalomaniaque. Mais par là il se voue à la solitude du dieu, contraint à ne pouvoir aimer que lui-même dans la nostalgie de rencontrer enfin un égal qui puisse le reconnaître. Il le trouve en Judith mais au prix de la mort. Une femme, et qui ne se donne pas d'emblée, pouvait seule le rassurer sur sa puissance comme seule une autre femme le rappelle perpétuellement à sa faiblesse : sa mère. Comme tous les héros, Holopherne a inventé un roman familial dans lequel il s'attribue une origine fantastique : il aurait été élevé par une lionne et n'aurait jamais connu sa mère. Pour celle-ci, il n'a que haine parce qu'elle lui a fait le don de la vie et par là même de la mort : avoir une mère, c'est avouer qu'on ne peut conquérir par soi-même ni la vie ni la mort. La mère bat en brèche toutes les défenses mégalomaniaques : « J'ai plaisir à voir toutes les femmes de la terre, excepté une et celle-là je ne l'ai jamais vue et ne la verrai jamais. Ma mère ! J'aurais aussi peu souhaité la voir que je souhaite voir mon tombeau. Je me réjouis par-dessus tout d'ignorer d'où je suis venu. Qu'est-ce donc une mère pour son fils ? Le miroir de sa faiblesse d'hier ou de demain. [...] Il ne peut la regarder sans songer au temps où il n'était qu'un pitoyable vermisseau qui payait avec de gros baisers les deux gouttes de lait qu'il engloutissait. Et s'il oublie cela, c'est pour voir en elle un spectre qui comme un bateleur lui joue la vieillesse et la mort, et lui rend répugnant son propre corps, sa chair, son sang. » La première blessure narcissique est infligée par la naissance qui creuse un orifice par lequel tous les dérobements ultérieurs deviennent possibles. En faisant par la suite de son fils son propre phallus, en exigeant de lui l'amour comme prix de la nourriture, la mère vole au fils une partie de son corps, le châtre, le dévore. Comme Judith, Holopherne se défend en permanence contre le vol de son intégrité corporelle : « Ma vie me paraissait volée, si je n'en faisais chaque jour la conquête. Ce qui m'était offert en présent je ne croyais nullement le posséder. » Etre énigmatique, se fermer à tous est un moyen aussi d'être inattaquable, d'empêcher que les autres ne viennent vous voler vos pensées : « Aussi sont-ils autour de moi à guetter, épiant à travers les fentes et les fissures de mon âme et cherchant à forger avec chacune de mes paroles un crochet pour forcer la chambre de mon cœur. » Inversement, épier soi-même les paroles d'autrui, serait reconnaître que sa propre pensée n'est pas toute-puissante. Dérober est signe de dépendance et d'esclavage[34].

Mais si Holopherne est hanté par la crainte d'être volé, s'il considère sa mère comme une « grande voleuse », c'est peut-être parce qu'il projette sur tous et d'abord sur sa mère son propre sadisme oral. Les nombreuses métaphores orales dans le texte ne sont pas dues au hasard. Holopherne a avec tous, avec la vie, avec ses compagnons d'arme, avec les femmes, des rapports de dévoration gloutonne et vorace. Il introjecte[35] en lui la totalité du monde pour l'assimiler et élargir son propre moi : « On devient ce que l'on regarde ! Le monde si riche, si vaste, n'est pas entré tout entier dans ce peu de peau tendue où nous tenons ; nous avons reçu des yeux afin de pouvoir absorber le monde morceau par morceau. » La mort est pour lui un retour au sein maternel, dévoré alors de nouveau avidement. Vivre et mourir c'est, pour Holopherne, téter. Par peur de la mort « nous la [la vie] pressurons et la tétons jusqu'à crever ». « A présent nous cherchons en mangeant à nous défendre d'être mangés nous-mêmes et combattons avec nos dents contre les dents de l'univers. C'est pourquoi il est si parfaitement beau de mourir par la vie même ! De laisser le flot gonfler de telle sorte que l'artère qui le devait contenir éclate ! La volupté suprême et l'horreur du néant, les mélanger et les confondre [...]. J'aimerais me dire un jour : " A présent je veux mourir. " Ah, que ne puis-je alors et sitôt cette parole dite, défait dans tous les vents, m'éperdre, être bu par toutes les lèvres avides de la création [...]. »

Croyance en la toute-puissance de la pensée qui rattache le narcissisme d'Holopherne à celui des enfants et des animistes.

---

34. Ce fantasme du vol n'est pas sans rappeler Artaud qui lui aussi veut être ses deux géniteurs et qui dénomme Dieu « le grand voleur ». Cf. J. Derrida, « La parole soufflée », in l'*Ecriture et la diffé-rence*. Cf. aussi le film « *The conversation* » où l'angoisse de celui qui capte les conversations secrètes, d'être écouté à son tour, renvoie à l'angoisse archaïque de destruction de l'intégrité corporelle contre laquelle il se défend par le narcissisme.

35. Au sens de Ferenczi, cf *Introjection et Transfert*, O.C., Payot, t. II, p. 100.

Mais lorsqu'un adulte en reste ainsi au stade du narcissisme infantile, c'est que son idéal du moi ne s'est pas développé. Pervers ou psychotique, le comportement d'Holopherne s'explique mieux par les catégories kleiniennes que freudiennes. Ceci rend peut-être compte du silence de Freud sur ce personnage.

Judith et Holopherne serait donc « une puissante présentation » du tabou de la virginité qui permettrait au spectateur, grâce à un supplément de fiction et d'illusion, de se réconcilier provisoirement avec ses fantasmes de castration, réconciliation qu'une cure analytique n'est pas toujours assurée d'obtenir [36]. Mais passer d'un plan dramatique à un plan métapsychologique, c'est laisser tomber la scénographie au profit du scénario ; c'est, en appelant le texte littéraire à témoigner pour la psychanalyse et en le rendant intelligible par les catégories analytiques, l'inscrire dans le « procès » de la vérité, en « volant » au texte quelque chose d'imprenable : prétention, là encore, de maîtrise et d'appropriation. Sans reste.

De plus, si la littérature peut, après traitement réducteur, sembler se plier à une lecture analytique, n'est-ce pas parce que

---

36. « Il est malaisé de décider au cours d'une cure analytique si nous avons réussi à vaincre ce facteur et à quel moment cette victoire se réalise. Consolons-nous en constatant que nous avons offert à l'analysé toutes les possibilités de comprendre et de modifier son attitude à cet égard. » (*Analyse terminée et analyse interminable*).

« Le créateur nous met à même de jouir désormais de nos propres fantasmes sans scrupule et sans honte. » (*La création littéraire et le rêve éveillé* p. 81, N.R.F.) Ainsi, pour Freud, le plaisir esthétique est la marque de la réconciliation des trois instances psychiques : chacune d'entre elles y trouve son bénéfice ; comme chez Kant il témoigne de l'harmonie des facultés humaines.

4

les conceptions de Freud, par exemple, ici, celles sur la femme, rejoignent celles de la littérature qu'il exploite ? Adéquation entre la chose littéraire et la chose analytique qui, loin d'être indice de vérité, l'est seulement de l'emprise sur toutes deux d'une même tradition culturelle et idéologique, de l'identité de préjugés dont la force contraignante s'impose comme celle de la vérité.

résumer,
interpréter
(gradiva)

« Ou bien (...), il faut que je m'interdise tout
raccourci, c'est-à-dire tout choix,
ou bien je leur suis infidèle (...) et je me hasarderais
à quelque choix, à quelque raccourci. Mais alors, dans
cette deuxième hypothèse, au premier soupçon d'infi-
délité, au premier symptôme, je ne suis plus moi-
même selon eux ; au premier symptôme, c'est un
procédé d'art, une méthode d'art et aussitôt je suis
encore perdue. Vous ne me tirerez pas de ce di-
lemme : ou bien, je suis sotte, ou bien je suis
infidèle ; ou bien, je veux comme ils veulent, épuiser
l'indéfinité du détail, et alors je ne peux jamais pas
même commencer mon commencement. Ou bien, je
lâche, fût-ce d'un atome, la totale indéfinité du
détail et alors d'autre part, je perds tout, car tout
mon prétendu système de sécurité tombe. »

Ch. PÉGUY, *Clio* (Gall., pp. 194-195).

Un dangereux raccourci

La première partie de l'étude de Freud sur la *Gradiva*[1]
de Jensen est consacrée à un résumé de l'œuvre à l'intention de
lecteurs qui n'auraient plus le texte en mémoire. Ce résumé
devait être très bref, le but de Freud étant seulement « d'explorer
à l'aide de certaines méthodes analytiques, les deux ou trois
rêves épars dans cet écrit de *Gradiva* » (p. 171). C'est une fois le
résumé achevé que commencerait le travail d'interprétation ; le
moment du résumé serait celui d'une lecture naïve où le lecteur
emporté par les mêmes émois, les mêmes espoirs que le héros,
serait trop tendu pour pouvoir comprendre : « Le récit terminé,

---

1. Nous renvoyons à la traduction française de *Délire et rêves dans
la Gradiva de Jensen,* précédée du texte de Jensen. (Gallimard, 1971,
Coll. « idées »).

notre tension tombée, nous en avons une vision meilleure et nous voulons maintenant lui appliquer la terminologie technique de notre science ; la nécessité, ce faisant, de nous répéter, ne nous troublera point. » (P. 176.)

Freud, d'emblée, présente son résumé de la *Gradiva* comme un substitut imparfait du texte lui-même : résumer, c'est nécessairement dépouiller l'œuvre de son charme en changeant la forme du récit ; c'est priver le lecteur de tout bénéfice de plaisir : « Et maintenant, il me faut prier mes lecteurs de déposer ce livre-ci et de prendre à sa place pour un bon bout de temps l'édition de *Gradiva* parue en 1903, afin que je puisse me référer ensuite à une chose connue d'eux. A ceux qui ont déjà lu *Gradiva,* je tenterai de rafraîchir leurs propres souvenirs pour ajouter à mon récit le charme dont il est forcément dépouillé. » (Pp. 129-130.)

Du moins, l'essentiel, le contenu du texte, serait-il préservé : le résumé dirait la même chose que le récit de Jensen, il le dirait seulement plus brièvement et dans un langage autre, moins beau, moins poétique.

Or, une telle dissociation de la forme et du contenu d'un texte peut paraître suspecte et jeter un discrédit sur l'entreprise freudienne. Elle peut sembler paradoxale si l'on pense aux nombreuses mises en garde contre toute scission de ce genre, que ce soit à propos du texte d'un délire, d'un rêve ou d'une œuvre d'art. L'originalité de la méthode freudienne ne réside-t-elle pas dans l'importance accordée aux moindres détails ? Son postulat n'est-il pas qu'il n'y a rien dans un texte qui ne serve une intention, qui ne soit ornement vain ? « Notre romancier, lequel, comme nous le savons depuis longtemps, n'introduit dans son récit aucun détail qui n'ait son importance et ne serve une intention. » (P. 209.) « Par où faut-il aborder un tel songe pour l'incorporer à l'ensemble s'il ne doit pas demeurer un vain ornement du récit ! » (P. 192.) Le paradoxe est d'autant plus grand que le héros est atteint d'une psychose hystérique : or, Freud considère la forme même de son langage, son ambiguïté, comme une annexe de la double détermination des symptômes ; la forme même de la maladie, issue d'un conflit entre deux instances, commande la forme du discours du héros. Et c'est parce que la forme du discours semble à Freud le plus symptomatique de tous les symptômes que, dans la dernière partie de son étude, il a recours à elle pour confirmer la valeur de l'interprétation.

La méthode freudienne semble donc devoir exclure tout résumé, toute transformation. Interpréter correctement devrait impliquer d'avoir sous les yeux la totalité du récit et c'est bien à elle que Freud renvoie d'abord le lecteur. Néanmoins, il résume l'œuvre, il résume jusqu'aux rêves qui l'intéressent plus particulièrement : « Il est facile de résumer en quelques mots le contenu de ce rêve. » (Pp. 190-191.) Et pourtant, Jensen lui-même, comme pour s'opposer à l'avance à tout raccourci, insiste sur la netteté des rêves de Norbert dans leurs moindres détails : « Le tableau du rêve, avec tous ses détails, était encore devant ses yeux ouverts et de la façon la plus nette. » (P. 17.) L'économie des détails semble d'autant moins justifiée que, si l'on compare le texte d'un rêve à son résumé (par exemple, pp. 17 et 33), on s'aperçoit que ce qui a été effacé par le résumé était susceptible, replacé dans le contexte général de l'œuvre, d'éclairer le comportement du rêveur et d'aider à l'interprétation. Ainsi la description détaillée de l'éruption du Vésuve, de la frayeur qu'elle provoque en Norbert, permet d'ajouter à la signification érotique du rêve une signification punitive. Les flammes du cratère, la pluie, les cendres, autant de « détails » négligés par Freud, qui pourtant reviennent à maintes reprises dans le roman. Serait-ce là répétition vaine ? [2] »

Pourquoi Freud enfreint-il donc les règles de sa propre méthode ? [3] Pourquoi certains détails sont-ils occultés au profit

---

2. Quant au second rêve de Norbert (cf. p. 32 de Jensen), Freud n'en parle pas dans le résumé : peut-être parce qu'il n'a guère d'influence sur le comportement du héros, mais plutôt parce qu'il semble peu susceptible de témoigner en faveur d'une lecture analytique, pouvant s'expliquer à l'aide des seuls restes diurnes et de la méthode symbolique.

3. Infraction d'ailleurs générale chez Freud : la pratique du « résumé » est constante. La psychanalyse de *L'Homme aux rats* implique la même opération effectuée dans le texte original, le « *Journal de l'Homme aux rats* » compte rendu des séances quotidiennes (lui-même, probablement, « dépêche mutilée ») (P.U.F. 1974).

d'autres mis en relief ? Qu'est-ce qui préside à la sélection et permet de choisir ce qui sera, ou non, retenu dans le résumé ? En résumant, supprime-t-on simplement le charme du texte ? Ne transforme-t-on pas aussi le contenu, ne produit-on pas déjà un autre texte ? Si, pour faire une étude correcte, il faut se reporter au texte lui-même, le résumé apparaît comme un supplément inutile, s'ajoutant à un texte déjà plein de sens ; inutile et même dangereux puisqu'il supprimerait une partie du sens tout en donnant l'illusion de restituer fidèlement le contenu, privant simplement d'un bénéfice de plaisir. Ce « supplément dangereux » est-il donc de trop ou a-t-il une fonction bien précise dans la démarche freudienne ?

Au début de la seconde partie, après avoir achevé le « résumé », Freud feint de s'étonner d'avoir été conduit à faire tout autre chose que ce qu'il avait annoncé : loin d'avoir donné un bref résumé, il s'est livré à un véritable démembrement du récit : « Comment avons-nous pu ainsi nous laisser entraîner à démembrer toute l'œuvre et à scruter les processus psychiques des deux protagonistes ? Eh bien ! ce ne fut pas un travail superflu, c'était là des préliminaires (Vorarbeit) [4] nécessaires (...) Je crois même que nous ne sommes pas encore arrivés à pied d'œuvre, pas encore en état d'entreprendre notre travail proprement dit, il faut encore nous en tenir au roman lui-même et poursuivre nos préliminaires. » (P. 171.)

Si, voulant analyser quelques rêves, Freud morcèle l'édifice complet de l'œuvre, ce n'est pas à son insu et comme poussé par un désir inconscient ; le démembrement n'est pas « un travail superflu », il reçoit sa justification méthodologique : il est impossible de comprendre les rêves hors de leur contexte, hors du code spécifique de tel ou tel rêveur ; le temps de l'interprétation est toujours le temps de l'après-coup ; très souvent, un rêve ne se comprend qu'à l'aide d'un autre rêve lui-même induit par tel ou tel événement diurne : « Une petit rêve à l'auberge de Rome (...) éclaire comme après-coup les tendances érotiques du premier

---

4. La traduction française traduit, à tort, *Vorarbeit,* par « prémices ».

grand rêve. » (P. 208.) Le résumé de l'œuvre était nécessaire pour livrer le contexte des rêves, décisif pour en déterminer le code. La sélection effectuée par le résumé est fonction de cette finalité. Dès lors, il n'apparaît plus comme un supplément inutile mais comme un complément même de la méthode d'interprétation destiné à la préparer parce que le texte de Jensen, pris dans sa totalité, par l'excès de sens qu'il livre dissimule qu'il n'est pas pleinement clair par lui-même. Le résumé n'est pas un supplément qui s'ajoute au texte comme un surplus : il vient révéler les trous cachés dans la continuité et la plénitude du texte. Le démembrement introduit dans le tissu continu des coupures, des discontinuités, des raccourcis. Pour pouvoir construire, le travail analytique commence toujours par déconstruire. Le résumé a cette fonction déconstructive.

Si le résumé est un complément au texte, que lui ajoute-t-il ? Malgré le démembrement qu'il reconnaît avoir effectué, Freud prétend (et cela dès la fin de la première partie) s'en être tenu au texte et n'y avoir rien ajouté : aucune interprétation supplémentaire ne s'y serait glissée. Malgré les raccourcis et les déplacements qu'il opère, le résumé resterait fidèle au roman ; c'est l'auteur qui aurait fourni le texte et le commentaire : « Que dirions-nous si, interrogé sur ce point, il (l'auteur) se défendait *mordicus* d'une telle intention ? Il est facile de faire des assimilations et de prêter à quelqu'un des intentions ; n'est-ce pas nous plutôt qui avons insinué, dans ce joli conte poétique, un sens très éloigné des conceptions mêmes du romancier ? C'est possible et nous reviendrons ultérieurement sur ce point. Cependant, nous avons essayé de nous défendre dès maintenant d'une interprétation tendancieuse : nous avons, dans notre narration, employé sans cesse les expressions mêmes du romancier, nous lui avons laissé fournir et le texte et le commentaire. Il suffit de comparer notre texte à celui de *Gradiva.* » (P. 174). « Je ne me risquerais vraiment pas à infliger à mes lecteurs ce petit travail, si le romancier ne me prêtait pas ici son puissant secours. » (P. 228.) « Chaque fois où nous rencontrons une difficulté particulière, le romancier vient encore ici à notre secours. » (P. 229.)

A plusieurs reprises, même lorsqu'il semble avoir abandonné

les préliminaires pour se livrer au travail analytique à proprement parler, Freud réaffirme n'avoir eu recours qu'au texte même (pp. 228, 229, 235) : le code de déchiffrage est interne à l'œuvre et, dans une certaine mesure, les trois parties qui suivent le résumé ne feront que répéter ce qui est dit dans celui-ci. Freud recule le moment où il faudrait enfin quitter le texte. Au début de la troisième partie, il écrit : « La suite du récit comporte un autre rêve qui, plus peut-être encore que le premier, peut nous inciter à l'interpréter et à l'intégrer aux destinées psychiques du héros. Mais ce serait une épargne presque nulle que d'abandonner le récit du romancier pour aller droit à ce second rêve, car qui veut interpréter le rêve d'un autre ne peut pas y échapper : il doit rechercher le plus de détails possibles sur la vie extérieure du rêveur. Le mieux serait peut-être de nous en tenir au fil de ce récit que nous parsèmerons de nos gloses personnelles. »

Ainsi l'interprétation se réduirait à des gloses : ce serait là le seul supplément.

Glose : annotation entre les lignes ou en marge d'un texte pour expliquer un mot difficile, éclaircir un passage obscur, par extension, commentaire, note explicative.

Commentaire : ensemble des explications, des remarques que l'on fait à propos d'un texte. Voir paraphrase. Addition plus ou moins oiseuse à un récit (*Petit Robert*).

La glose freudienne semble impliquer la double signification du terme : être à la fois un supplément oiseux, moins riche que le texte qu'elle ne fait en quelque sorte que paraphraser ; et à la fois un complément indispensable : elle fait advenir le texte à lui-même en transformant l'obscurité en clarté, faisant passer de l'implicité à l'explicite. La glose, comprise en ce double sens, permettrait et d'être fidèle au texte et de le rendre intelligible. Mais de quel texte s'agit-il ? De celui de Jensen tel qu'il a été résumé par Freud. L'interprétation-glose se fait à partir d'un texte tronqué, morcelé, déjà soumis au travail, à la torture nécessaire pour en faire apparaître le sens. Le texte-résumé est un texte déjà sélectionné par l'interprétation future : il n'est donc pas étonnant que cette interprétation puisse le rendre intelligible. Le texte-résumé doit être considéré comme un objet théorique, un produit de laboratoire, fabriqué par la science. Produit d'une méthode, cette méthode peut dès lors s'y appliquer. Le résumé de Freud n'est donc pas là pour rafraîchir les souvenirs du lecteur. Il n'est pas antérieur à l'interprétation, il en est le produit en même temps qu'il la commande. Il est la mise en conditions de laboratoire du texte de Jensen qui, sans lui, serait inaccessible à la science. Il est en ce sens nécessaire.

Transformations

Si l'on prend à la lettre l'invitation de Freud de comparer sa narration à celle de Jensen, on est frappé par toute une série de transformations. L'effet des changements introduits est de dépouiller l'œuvre de son charme. Cet effet est voulu afin de montrer, non pas que la « forme » du récit est inessentielle et dissociable de son contenu, mais qu'elle a une fonction bien précise : procurer au lecteur un plaisir, une prime de séduction, qui le maintienne dans l'illusion et le détourne du « véritable » sens du texte. Le bénéfice de plaisir qu'offre une lecture naïve fait partie du contrat implicite signé entre l'auteur et le lecteur : celui-ci consent à délirer le temps d'une lecture, à s'identifier aux héros, à leur accorder sa sympathie, à croire aux spectres et aux fantômes, en échange d'un peu de plaisir dû à la beauté, auquel s'ajoute un plaisir plus profond : celui procuré par la décharge de pulsions refoulées [5]. Dans la *Gradiva*, Jensen ne respecte pas le contrat : le lecteur qui se croit un homme normal, l'étalon de l'humanité, ne peut s'identifier avec le héros dès lors qu'il reconnaît avoir affaire à un délirant. Il a été joué par l'auteur : la folie du héros est trop particulière pour pouvoir rencontrer ses fantasmes et susciter son intérêt [6]. En dépouillant volontairement

---

5. Plaisir du moi et du ça auquel s'ajoute celui du surmoi, car la jouissance a lieu dans la méconnaissance de ses sources « suspectes ».
6. « Le romancier veut nous faire sentir son héros comme proche de nous, nous faciliter le contact affectif avec lui. Avec le diagnostic de dégénérescence, le jeune archéologue est aussitôt rejeté loin de nous,

le texte de son charme, Freud dénonce le rapport mercantile inavoué existant entre l'auteur et le lecteur et l'opposition du normal et du pathologique sur laquelle il repose. Tant que le lecteur se laisse fasciner par l'œuvre et celui du « héros » il est aussi malade que Norbert qui se laisse fasciner par une statuette des temps passés. Freud veut montrer que chaque lecteur transgresse quotidiennement la limite fictive et conventionnelle qui sépare le normal du pathologique [7]. Refuser de s'identifier à Norbert, c'est méconnaître qu'il n'y a qu'une différence de degrés entre la passion dite « normale » et le délire : l'amoureux lui aussi est possédé, captivé par son objet, et, comme Norbert, il est à la recherche d'un objet perdu, aimé pendant l'enfance ; la fascination de Norbert par une image de pierre n'est que le paradigme grossissant de tout amour [8]. Transformer le texte, c'est forcer le lecteur à renoncer à l'illusion et à la jouissance de ses fantasmes, c'est le contraindre à ne plus se prendre pour un homme supérieur : la transformation textuelle a une fonction purgative. Si elle fait perdre au moi du lecteur la prime de séduction, ce n'est pourtant pas sans dédommagement : qu'il tourne son attention vers la recherche du sens véritable du récit, alors il y gagnera le plaisir « intellectuel » de résoudre une énigme [9]. Enigme du délire,

---

car nous autres, lecteurs, nous sommes des hommes normaux et l'étalon de l'humanité » (p. 176). « Le héros nous apparaît encore comme incompréhensible et quelque peu fou. Nous ne saisissons pas par quel chemin sa folie particulière pourra entrer en rapport avec l'humanité afin de conquérir notre intérêt. Le romancier a tous les droits de nous laisser dans cette incertitude. La beauté de sa langue, l'ascendant de ses fictions nous paient largement la confiance que nous lui accordons et la sympathie anticipée que nous réservons à son héros » (p. 135).

7. Cf. p. 175.

8. « Nous pressentons que ce cas pathologique pourra aboutir alors à une « banale histoire d'amour (...). Et d'ailleurs la possession de notre héros par l'image de sa Gradiva n'était-elle pas aussi une vraie passion amoureuse, bien qu'orientée vers le passé et un objet inanimé ? » (p. 146).

9. Ce plaisir n'est pas désintéressé : le désir de savoir a lui aussi des racines libidinales. Pour le lecteur le plaisir de résoudre une énigme est un substitut de celui procuré par le merveilleux ou le fantastique de l'histoire. Nouvelle déception du lecteur lorsqu'il comprend que Zoé est une simple voisine de Norbert : l'énigme était trop simple.

énigme du texte littéraire dont la « forme » est une façade, un tissu qu'il faut défaire fil à fil. Résumer le texte, c'est procéder simultanément à l'effritement des délires du héros, de l'auteur et du lecteur. C'est briser la complicité d'un texte continu qui dissimule par sa cohérence même qu'il est énigmatique. Démembrer le texte, c'est faire apparaître ses lacunes, l'absence de liens entre certains événements ou la substitution de liens fictifs aux liens réels. Déconstruire le texte est l'étape préalable nécessaire pour reconstruire un autre texte, en tissant entre les événements d'autres liens, en introduisant une nouvelle nécessité. Résumer, c'est séparer les différents éléments de la trame dans lesquels ils sont pris pour les tresser ensemble dans un autre tissu [10] : « Le

---

Freud montre que le merveilleux est dans la saisie, détail par détail, des liens entre la création délirante et la réalité quotidienne. Si le psychanalyste déconstruit le fantastique, il en restitue un autre. Le merveilleux est en nous. (Cf. à ce sujet *L'Inquiétante étrangeté* et Platon, *Le Phèdre*, 230 a).

10. Dans son étude, Freud établit continûment un parallèle implicite entre rêve et délire d'une part, et productions fictives de l'autre. Les mêmes termes (les uns et les autres semblent d'abord être des productions arbitraires de l'imagination (« Ces effets de l'imagination nous paraîtraient peu compréhensibles si nous les rencontrions chez un vivant. Mais notre héros étant une pure création du romancier, nous voudrions adresser à celui-ci timidement cette question : son imagination a-t-elle été soumise à d'autres forces que le propre arbitraire de celle-ci ? » p. 136) mais sont interprétés par Freud comme des « échos », des répliques du passé et comme soumis à des lois psychiques déterminées (cf. p. 183, p. 136, etc.) ; les mêmes métaphores les décrivent. Métaphore du tissu (pp. 67, 167, 214) ; métaphore de l'édifice (pp. 222, 232). Par exemple : pour la métaphore du *tissu* : « le tissage du rêve » (p. 67 de Jensen).

« Il est évidemment tout à fait guéri de son délire, il le domine, ce qu'il démontre en brisant lui-même les derniers fils de la toile. » (P. 167.)

« Les malades atteignent à des records dans l'art de tisser en une trame cohérence des absurdités plausibles. » (P. 214.)

« Le jeune homme qui vient de parler file en son cerveau une toile étrange, il me semble qu'il se figure qu'une mouche lui bourdonne dans la tête ; d'ailleurs chacun n'a-t-il pas son araignée au plafond ? » Pour la métaphore de l'*édifice* ;

« Gradiva lui démontre l'inanité de tout cet édifice et lui fournit les explications les plus naturelles sur tout ce qui lui semblait énigmes. » (P. 232.)

lendemain à l'issue de la seconde entrevue dans la maison de Méléagre, le voici en présence de toutes sortes d'événements étranges, en apparence sans aucun rapport entre eux » (p. 215). Ce que fait Freud lorsqu'il analyse le rêve qualifié d'absurde peut servir de paradigme pour comprendre l'opération de démembrement de la totalité du texte de Jensen : il brise le texte manifeste du rêve et l'examine morceau par morceau ; puis il reconstruit un autre texte (le contenu latent) en associant lui-même à la place de Norbert. C'est parce que celui-ci méconnaissait les véritables liens existant entre les différents événements de la journée et qu'il les a remplacés par des rationalisations auxquelles il ne croit qu'à moitié, qu'il fait un rêve obscur où s'enchevêtrent pêle-mêle les différents éléments diurnes : « Essayons encore d'interpréter ce rêve, c'est-à-dire de lui substituer les pensées latentes de la déformation desquelles il doit être dérivé. Il est absurde à point voulu, comme on ne peut s'y attendre que de la part d'un rêve ; cette absurdité des rêves est donc le cheval de bataille des détracteurs qui refusent au rêve la qualité d'acte psychique pleinement valable et le font dériver d'une excitation, sans aucune orientation des éléments psychiques. Nous pouvons appliquer à ce rêve une technique que l'on peut considérer comme la méthode régulière de l'interprétation des rêves. Elle consiste à faire abstraction de la cohérence apparente du rêve manifeste

---

« Nouvelle pièce de la construction délirante. » (P. 222).

« Comprendre la genèse de ce complément au délire, rechercher quel nouveau fragment de l'inconscient se fait jour par substitution dans ce nouveau fragment de délire. »

Enfin rêve, délire, production fictive sont des textes *énigmatiques* : « Dans un cercle où on pensait que l'auteur de cet écrit avait résolu les principales énigmes du rêve. » (P. 125.)

« Ont-ils compris, les malades apportent eux-mêmes les solutions des dernières et principales énigmes de leur singulier état. » (P. 167.)

« Zoé a résolu l'énigme du délire. » (P. 232.)

« Le romancier nous soumet encore une autre énigme en laissant se succéder tels des hasards sans lien intime, le rêve, la découverte dans la rue de la soi-disant Gradiva et la décision du voyage sous l'influence du chant du canari. »

Pour la constante de ces métaphores chez Freud, cf. notre *Enfance de l'art,* notamment le chapitre III.

à envisager isolément chaque partie du contenu et à en rechercher la dérivation dans les impressions, les souvenirs et les associations libres du rêveur. Mais comme nous ne pouvons pratiquer l'examen de Hanold lui-même, il faudra nous contenter de nous référer à ses impressions et ce n'est que très timidement que nous devrons substituer nos propres associations aux siennes. » (Pp. 215-216.)

Néanmoins, Freud n'examine pas, fragment par fragment, la totalité de l'œuvre. Le résumé n'est pas seulement morcelant, il est sélectif. L'attention de Freud est plus dirigée que flottante. Même lorsque certains passages sont cités intégralement, ils ne sont pas une répétition fidèle et stricte du texte initial : insérées dans un autre contexte, les citations mettent en mouvement [11] le texte de Jensen, l'ébranlent, le déportent en un autre lieu. La sélection du matériel a comme effet de rapprocher ou d'isoler certains éléments, d'effectuer une série de déplacements toujours significatifs. Les raccourcis opérés permettent d'associer ce qui est encore dissocié dans la conscience du héros. La compréhension du lecteur est ainsi décalée par rapport à celle du délirant : les raccourcis préparent à la solution de l'énigme et à la guérison du héros. Le résumé a comme but d'éclairer le texte en négligeant ce qui est considéré comme superflu. Ainsi, les descriptions de Pompéi, de la végétation environnante, les indications climatiques sont abrégées par Freud ou passées sous silence : elles sont considérées comme ayant une fonction de leurre et de séduction. Les explications internes à l'œuvre sur le comportement du héros (données soit par Jensen soit par Norbert) reçoivent le statut de rationalisations secondaires et sont plus ou moins tues : elles empêcheraient de se livrer à une véritable investigation. Or, ce qui est traité comme façade et que le résumé fait éclater a peut-être une autre fonction dans le récit : celle de répondre à la fois à une nécessité psychologique (l'espacement des événements est l'indice de la distance qui sépare encore le héros de la compréhension, distance remplie par un ensemble de rationalisations mais aussi d'événements qui peuvent servir à

---

11. Cf. J. Derrida, *La Dissémination*, pp. 264 et sq (Seuil, 1972).

la résolution du délire) et à une nécessité structurale du récit : il est nécessaire pour que le récit puisse continuer que Norbert ne comprenne pas ce qui se passe et que l'auteur fasse hésiter le lecteur sur le genre littéraire auquel il a affaire. Les exigences du résumé sont opposées à celles du récit : prolonger la durée de l'énigme au maximum, retarder la fin du roman. Négliger de raconter en détail l'ensemble des fantasmes de Norbert, c'est déjà le transformer, le rendre moins malade qu'il n'est. De même que le résumé raccourcit nécessairement le récit, il précipite la guérison.

Par exemple, Norbert ne comprend que progressivement le rapport symbolique établi par son inconscient entre les couples en voyage de noces et les mouches domestiques. Ce qu'il constate très vite, c'est que les uns et les autres l'agacent prodigieusement. Freud dans le résumé rapproche immédiatement amoureux et mouches en désignant le flot des couples se rendant en Italie en voyage de noces par la métaphore de l'essaim. Celle-ci a une fonction didactique analogue au pont-verbal inventé par un psychanalyste pour permettre à son patient d'associer plus facilement, de passer du sens conscient au sens inconscient [12] : « Il tombe dans l'essaim des voyages de noces. » (P. 136.) Quelques lignes plus bas est introduit un terme technique justifiant l'invention de la métaphore : « Le rôle dévolu jusqu'ici aux jeunes mariés qui échauffaient sa bile et importunaient ses sens passent maintenant aux mouches domestiques (...) Ces deux groupes d'esprit malin s'identifient l'un et l'autre. »

L'interprétation future est l'agent qui préside à la sélection et opère les raccourcis, ne gardant que l'essentiel. Ainsi le portrait que fait Jensen de Gradiva est un portrait rhétorique classique. Freud n'en retient que l'élément spécifique : la position verticale toute particulière du pied, détail significatif et exceptionnel [13] qui, par l'affect qu'il provoque en Norbert, est cette trace qui ouvre

---

12. Cf. *L'homme aux rats* où ce procédé est particulièrement employé.
13. Cf. *Le Moïse de Michel-Ange,* où la méthode de Morelli est prise comme modèle.

l'espace de lisibilité de l'œuvre. Trace qui, prise à la lettre, déter-mine le départ du héros à Pompéi décidé à en retrouver l'em-preinte ; trace de l'objet perdu recouverte par la lettre du langage. Le résumé passe sous silence nombre d'éléments qui, pourtant, jouent par la suite un rôle décisif : dès le début, lorsque Norbert, contemplant la statuette se met à fantasmer, il imagine qu'un lézard vert et or s'enfuit entre les dalles à l'apparition de la jeune pompéenne (cf. pp. 12, 13, 14). Le lézard n'est mentionné que bien plus tard dans le résumé, à propos du rêve absurde. Freud l'omet, c'est lors du retour d'un premier voyage à Pompéi que Norbert avait acquis la conviction que la Gradiva devait vivre à Pompéi. Non seulement cette précision donne plus de vraisemblance à la construction délirante, mais elle rattache d'emblée la décision du second voyage à la fuite devant les désirs érotiques par obéissance au surmoi. Tout se passe comme si Freud voulait biffer un certain nombre d'indices présents dans le texte afin de rendre le récit encore plus étrange et énigma-tique et justifier un recours nécessaire à la méthode analytique. Ainsi il « oublie » que Jensen explique pourquoi Norbert a refoulé sa vie amoureuse : dès l'enfance, il était prédestiné à suivre la tradition familiale, la trace du père (cf. pp. 182, 134, 32).

Autre oubli caractéristique : celui des vers d'Ovide venus à la mémoire de Norbert : « L'agrafe polie ferme de son épingle le haut de sa tunique. Ses cheveux sont retenus sans art en un seul nœud. » (P. 56.) En effaçant ces vers, Freud supprime « l'infime ressemblance » à partir de laquelle le délire concernant l'agrafe attachée « au soleil » peut tisser sa toile.

Ainsi la sélection a pour effet ou de rendre énigmatique ce qui ne l'est pas (ou ne semble pas l'être) ou de gommer les énigmes. Le résumé n'est pas seulement morcelant et sélectif. Il fait intervenir toute une activité de substitution sémantique. Il est traduction d'une langue en une autre langue. Ces transfor-mations vont dans le sens d'une certaine interprétation du com-portement des personnages. Elles font d'une aventure singulière et concrète un récit plus général et plus abstrait. Même les affects se trouvent transposés dans le sens de la plus grande généralité. Par exemple, Jensen écrit : « Elle ne répondit pas davantage, mais un mouvement fugitif passa sur ses lèvres délicatement dessinées, comme si elles tâchaient de réprimer une envie de rire. La terreur le prit à ce moment. Celle qui se tenait devant lui comme une image muette était donc évidemment un fantôme qui ne pouvait parler. Les traits de Norbert exprimèrent clairement l'épouvante que lui donnait cette idée. » (P. 61.) Transcrite dans le résumé, l'épouvante se transforme en une émotion des plus vagues : « Conformément aux suppositions de la dernière hypothèse relative à son origine, il lui adresse la parole en grec, attendant avec émotion de voir si l'apparition fantomatique a gardé le don de la parole. » (P. 140.) La qualité précise de l'affect ressenti n'est-elle pas fondamentale et le passage du singulier à l'universel, du concret à l'abstrait, n'est-il pas ici le signe d'une résistance à une certaine interprétation ?

D'une façon plus générale, la transformation du texte consiste à remplacer des descriptions ou des métaphores par des concepts destinés à les rendre intelligibles : le résumé est déjà une explication. Le passage au concept est passage à la raison, à l'univocité du sens. En nommant les choses par leur nom propre, Freud empêche le lecteur de délirer, de s'endormir, de rêver, d'être envoûté par la poésie du texte. Ainsi Zoé, appelant Norbert par son nom, le tire du délire. « Appeler par son nom un dormeur ou un somnambule est le meilleur moyen de le réveiller. » (P. 153.) Le glissement d'une langue dans une autre réalise une économie de signes (le résumé abrège) et un passage de la poésie qui enferme la vérité sans le savoir, à la science, qui délivre cette vérité en termes propres et adéquats. La substitution, si elle était complète, mettrait fin au récit en dévoilant la vérité.

Par exemple, alors que Jensen veut laisser le lecteur dans l'incertitude, en décrivant la conduite du héros comme oscillant entre conscience et inconscience, entre rêve et vie éveillée, Freud très vite, fait intervenir le concept clinique de *délire* : mot de l'énigme (cf. pp. 54, 55 de Jensen et p. 140 de Freud). Autres exemples : l'emploi par deux fois du terme technique d'identification (pp. 136 et 160) ; substitution du concept de fantasme à la description des fantasmes qui permet au traducteur de s'épargner l'effort d'attention précise à la production fantasmatique du héros. Ainsi Freud (p. 131) résume celle-ci en écrivant : « Toute la science de l'antiquité du jeune archéologue se met peu à peu au service des fantasmes relatifs au primitif modèle du bas-relief. » Ces fantasmes occupent trois pages du récit (pp 12, 13, 14) : « En même temps qu'il contemplait cette femme en marche, tout ce qui l'entourait, de près ou de loin, s'échafaudait dans la réalité devant son imagination. Grâce à la connaissance de l'antiquité, cette femme faisait naître en lui la vue d'une rue longue, etc., etc. »

La visée explicative du résumé se marque par un certain nombre de « digressions » destinées à suppléer à l'absence d'explication de l'auteur et à éclairer la conduite des héros. Ainsi le premier arrêt dans la narration du récit est motivé par la nature incompréhensible de Norbert : « Avant de raconter ce voyage, motivé de façon si curieuse et si vague, arrêtons-nous un instant et observons de plus près la personnalité et les faits et gestes de notre héros. Il nous apparaît encore comme incompréhensible et quelque peu fou. » Lorsque Zoé part en oubliant son carnet d'esquisses, Freud, sans citer le terme, en profite pour expliquer ce qu'est un acte manqué : « Nous dirions que c'est en gage d'un prochain retour que Gradiva a oublié son carnet, car nous prétendons qu'on n'oublie rien sans un mobile secret ou un motif caché. » (P. 146.) Longue digression sur le refoulement et son mécanisme où sont invoqués tour à tour comme confirmation de la description de Jensen, certaines représentations picturales, en particulier celle de Félicien Rops, et un cas pathologique appartenant à l'expérience clinique de Freud (cf. p. 164). Plus loin, l'envie qu'a Norbert de toucher la main de Gradiva est référée à une agression sexuelle, devoir de l'homme dans l'amour (p. 168.) Lorsque Freud lui-même ne donne pas un complément d'explication, c'est qu'il les trouve dans le texte et il félicite alors le romancier ou Zoé d'être si clairvoyant (par exemple, pp. 169, 145). Enfin, il ajoute un certain nombre de remarques sur l'esprit critique de Norbert (pp. 143, 144, 148), sur l'affect de Zoé qui expliquerait sa conduite (p. 144), etc.

L'intention didactique du résumé a comme conséquence le déplacement de certaines parties du texte juxtaposées à d'autres pour les éclairer. Ainsi pour expliquer que Norbert n'avait, jusqu'au moment où il est contraint d'examiner la démarche de ses contemporaines, jamais accordé la moindre attention au sexe féminin, Freud écrit : « Les relations mondaines n'avaient jamais été pour lui qu'une corvée inévitable. » (P. 132.) Remarque qui est, presque à la lettre, dans Jensen, mais dans un tout autre contexte (cf. p. 25).

Ainsi, préparation au travail analytique, le résumé fait éclater le texte primitif. C'est tout un autre jeu textuel qui est proposé au lecteur qui n'a pas pris le soin d'aller consulter le texte de Jensen. De celui-ci, il ne reste « qu'une dépêche déformée, mutilée et défigurée [14] ». Mortifère le résumé l'est, non tant par sa brièveté, que par la transposition qui s'y opère d'un langage en un autre, beaucoup plus univoque, qui fait sortir le texte de son indécidabilité [15].

La symbolique de Pompéi

Freud a-t-il bien laissé à l'auteur le soin de fournir le texte et le commentaire ? Le résumé n'a-t-il pas comme effet de privilégier l'interprétation analytique sur toute autre, d'effacer le pluralisme des codes internes au texte au profit d'un seul ?

Par exemple, si l'on s'en tient au résumé, nul doute qu'on ne soit convaincu que la symbolique de Pompéi soit celle du refoulement. En inventant cette symbolique, en la plaçant délibérément dans la bouche de Zoé, en montrant comment Norbert, lui, s'en sert dans son délire comme d'un travestissement, joué

---

14. Cf. *L'Homme aux rats,* p. 244 (P.U.F.).
15. Cf. Nietzsche (in *La Naissance de la Philosophie...,* N.R.F.., pp. 26-27) opposant les résumés effectués dans les manuels qui effacent la personnalité et ennuient, aux résumés qui, tout en restituant seulement des fragments de la vie d'un philosophe, en conservent la personnalité et la vie.

qu'il est par cette même symbolique, Jensen montrerait qu'il détient une connaissance endopsychique du refoulement : il en décrirait symboliquement le processus, en toute vérité, à son insu. « Le refoulement qui rend le psychique à la fois inabordable et le conserve intact ne peut mieux se comparer qu'à l'ensevelissement, tel qu'il fut dans le destin de Pompéi de le subir et hors duquel la ville put renaître sous le travail de la bêche. C'est pourquoi le jeune archéologue devait dans sa fantaisie transporter l'original du bas-relief qui lui rappelait son amie d'enfance oubliée, à Pompéi. » (P. 170.) [16]. Certes, c'est bien le texte de Jensen qui permet de donner cette interprétation. L'auteur va jusqu'à suggérer une opposition entre le savoir de Norbert, celui des langues mortes et de l'archéologie, qui lui permet de déchiffrer, mieux que quiconque, les énigmes de Pompéi [17] et l'ignorance qu'il a de son Pompéi interne : la science ne lui est plus alors d'aucun secours et il a besoin de Zoé pour sortir de son ensevelissement. N'est-ce pas souligner ainsi la parenté du héros avec Œdipe ?

Mais le texte, pris dans sa totalité, offre d'autres codes de déchiffrage. Un signifiant entre tous y est privilégié (il revient pratiquement à toutes les pages) c'est le soleil. Dans l'*Appendice à la seconde édition,* Freud lui-même note que la situation centrale de la *Gradiva* se répète dans les autres romans de Jensen : l'apparition sous l'ardeur d'un midi estival d'une jeune fille morte ou crue telle. » (P. 246.) Importance du soleil opposé, rhétoriquement, à la pluie, à l'obscurité, à la cendre. Soleil italien, estival ou printanier, opposé au froid hivernal de l'Allemagne du

---

16. La bêche est un rappel de la fourche, bifide, du vers d'Horace cité par Freud. « *Naturam furca expellas semper redibit.* » (P. 163). Freud, un an après, reprendra à son propre compte la symbolique de Pompéi dans *L'Homme aux rats,* p. 219 (P.U.F.). « Je lui explique brièvement les différences psychiques qui existent entre le conscient et l'inconscient. Intervient alors la remarque sur le caractère inaltérable des productions psychiques dans l'inconscient. Pompéi ne tombe en ruine que maintenant depuis qu'elle est déterrée ».

17. « Il savait déchiffrer avec beaucoup d'habileté ces graffiti si difficilement lisibles et il avait dans cette branche des succès qu'on avait glorieusement reconnus. » (P. 49).

117

Nord. Soleil, cause du délire (c'est au moment où le soleil bat son record que le délire est à son acmè), mais aussi de la guérison : le canari chante quand le soleil brille. C'est au soleil que Norbert rencontre pour la première fois le père de Zoé. Soleil est le nom de l'auberge, inconnue jusqu'alors du héros qui a l'habitude de descendre au Diomède, où séjournent Zoé et son père, obstacle éventuel. Au soleil sont associées les fleurs de l'amour, rose et coquelicot ; le vin du Vésuve qu'il fait mûrir et qui comme lui contribue à créer le vertige, l'oscillation du héros, à le mettre hors de son état habituel : « Sur le sol, il lui semblait que les silhouettes noires des cimes des arbres et des bâtiments ne restaient pas tout à fait droites. Ce phénomène, il est vrai, n'avait rien d'effrayant dans ce pays sans cesse ébranlé depuis les temps les plus reculés ; car le feu souterrain qui y attend partout avec impatience de faire une irruption trouve une issue en montant dans les vignes et les raisins dont on fait le Vésuvio, ce Vésuvio qui n'était pas une boisson habituelle de Norbert Hanold tous les soirs. » (P. 66.)

C'est au soleil que se chauffe le lézard et que les mouches sont le plus irritantes. Tout le personnage de Zoé — dont le prénom signifie « vie », et le nom Bertgang : « à la démarche radieuse ou superbe » — est solaire. C'est à midi, heure à laquelle les spectres reprennent vie, qu'elle apparaît pour la première fois à Norbert. Un lien l'unit au culte du soleil, ses vêtements sont jaunes, ses sandales couleur or. Une lueur brille en permanence dans ses yeux. Elle demande à Norbert s'il n'a pas trouvé son agrafe au soleil. Enfin, le récit se termine par le passage de Gradiva, de l'autre côté de la rue, sur les dalles en plein soleil.

Freud note seulement que Jensen considère le soleil et le vin comme les adjuvants du délire : mais pour lui ce ne sont là que rationalisations qui servent de couverture aux véritables causes du délire. Il souligne aussi l'importance du jeu de mots sur le soleil dans le rêve absurde (« quelque part au soleil Gradiva est assise ») mais sans s'arrêter pour autant sur le privilège accordé au signifiant « soleil » par l'auteur. Si l'on compare le résumé au texte de Jensen, on trouve le signifiant soleil chez Freud : pp. 134, 137, 138, 141, 145, 170, 185, 205, 212, 215, 216, 222, 227, 228. Chez Jensen : pp. 9, 13, 19, 20,

21, 26, 27, 33, 39, 41, 42, 45, 46, 47, 48, 49, 52, 53, 54, 56, 58, 60, 62, 64, 67, 69, 104, 110, 121, 122 [18].

On peut regrouper systématiquement certains éléments du texte. Vont ensemble : Zoé, le soleil, la lumière, le midi, l'été, la végétation, les fleurs rouges, l'Italie, le vin du Vésuve, l'amour, la vie, la langue vivante, la conscience. S'y opposent : Norbert, le froid, les nuages, la pluie, l'hiver, l'Allemagne, la solitude, le sommeil, la science, plus particulièrement l'archéologie, les pères (ceux des deux héros) ; l'asphodèle, fleur de la mort, les langues mortes, le silence vide, le minéral, la pierre, la statuette de pierre, la pierre ponce, la lave du Vésuve, l'inconscience [19].

Enfin, on trouve des signifiants neutres qui permettent le passage d'un groupe à l'autre et qui font éclater les oppositions : le printemps, saison intermédiaire qui incite au voyage, l'imagination, le rêve, éveillé ou endormi, à mi-chemin de l'inconscience et de la conscience ; la crise délirante qui ébranle l'esprit critique du héros ; le Vésuve comme puissance d'oscillation et de vertige ; Pompéi, enfin, ville indécidable par excellence : à la fois neuve et ancienne (p. 42), brûlée par la lumière et le soleil mais aussi enveloppée de fumées grises et submergées de cendres et de laves. Ville morte mais aussi ville de l'initiation aux mystères de la vie et de l'amour comme en témoignent les fresques subsistantes

---

18. En particulier (p. 39), « Les mouches domestiques communes : il les considérait comme la pire invention de la nature dans sa méchanceté ; elles étaient cause qu'il préférait l'hiver à l'été comme étant la seule saison qui convient à la dignité humaine et il trouvait qu'elles étaient une preuve irréfutable de l'inexistence d'une harmonie rationnelle du monde » (p. 56) : « Sous la chaleur de la campagne napolitaine, la mythologie, la littérature, l'histoire et l'archéologie se mêlaient dans sa tête » ; (p. 121). « Le soleil couvrait d'un tapis doré les antiques plaques de lave. Le Vésuve déployait son large panache de fumée et toute la ville semblait être recouverte, non de cendres et de pierre ponce (comme dans son rêve) mais de perles et de diamants, grâce à l'effet de la pluie bienfaisante. Avec ces joyaux rivalisait l'éclat de la lueur qui brillait dans les yeux de la jeune fille du zoologiste. »

19. On pourrait aussi inscrire dans ce système l'opposition entre l'hôtel Suisse (celui où descendent les bons vivants), et l'hôtel Diomède (où descendent les férus d'antiquités mortes). L'intermédiaire étant l'auberge du « Soleil » méconnue jusqu'alors de Norbert.

(pp. 92, 151, 152). Ville au double langage, celui des vivants, polyglottes, celui des morts parlant autrefois latin ou grec, se taisant maintenant dans un silence vide (pp. 41, 48, 51). Ville traître où le héros rencontre justement l'amour qu'il voulait fuir ; ville où les habitants paraissent d'une nature étrange et énigmatique : mort ou vivant, homme ou femme, réel ou fantomatique. Pompéi, ville admirablement choisie comme lieu d'une crise et de l'ébranlement des certitudes.

Si l'on tient compte de tous les éléments de la symbolique et qu'on ne fasse pas avec Freud éclater les différentes couches symboliques du texte parce qu'elles serviraient seulement de couverture à la signification principale, celle du refoulement ; si l'on ne décide pas qu'il y a un seul sens, mettant ainsi fin à la duplicité de la ville et à la crise du héros, mais qu'on reste ouvert au pluralisme des codes textuels, alors la *Gradiva* peut être aussi interprétée comme « un joli conte symbolique » disant la nécessité pour tout homme, sous peine de tomber dans la folie, d'obéir aux lois naturelles et de se plier au destin : de passer de l'hiver à l'été, de l'inconscience à la conscience, de la mort à la vie. La *Gradiva* peut être lue comme une variante du *Roi Lear* compris à la lumière de l'interprétation que Freud en donne quelques années plus tard. Freud lui-même semble suggérer un rapprochement entre les deux œuvres. C'est en effet l'exemple du *Roi Lear* qui lui vient à l'esprit lorsqu'il veut montrer qu'un écrivain a toute licence de partir d'une situation invraisemblable pour édifier ensuite un développement réaliste : ce qu'aurait également fait Jensen dans la *Gradiva* (p. 174). La référence à cette œuvre paraît d'autant moins contingente que l'*Appendice à la deuxième édition* apprend que : « en rapprochant la Gradiva d'autres fragments des musées de Florence et de Munich on a obtenu deux bas-reliefs comprenant chacun trois personnages, parmi lesquels on a pu identifier les Hores, déesses de la végétation et celles, proches apparentées, de la rosée qui féconde ». Or, dans *le Thème des trois coffrets*, Freud écrit : « Les Heures furent à l'origine des divinités des eaux célestes qui dispensent la pluie et la rosée, des nuages dont la pluie découle et, comme les nuages sont conçus sous les espèces d'un tissu, il en ressort pour ces déesses le caractère de fileuses, qui se fixe spécialement sur les Moires. Dans les pays méditerranéens sur lesquels règne le soleil, c'est de la pluie que dépend la fertilité du sol et c'est pourquoi les Heures se transforment en divinité de la végétation. On leur doit la beauté des fleurs, la richesse des fruits et on leur accorde une plénitude d'aimables et charmantes qualités. Elles deviennent les divinités représentatives des saisons et peut-être doivent-elles à cette circonstance leur nombre de trois (...) Car ces anciens peuples ne discernaient au début que trois saisons (...) Les Heures deviennent ainsi gardiennes des lois de la nature et de cette sainte ordonnance qui fait revenir dans la nature les mêmes phénomènes suivant un ordre immuable (...) Le mythe de la nature se transforma en un mythe humain, les déesses du temps deviennent les déesses du destin (...) L'inévitable sévérité de la loi, les rapports avec la mort et avec la destruction qui avaient été épargnées aux gracieuses apparitions des Heures se marquèrent en dures empreintes sur les Moires, comme si l'homme n'avait réalisé tout le sérieux des lois de la nature qu'en se sentant lui-même contraint de s'y subordonner. » (Pp. 96-97 in *Essais de Psychanalyse appliquée*.)

Nécessité pour Lear de se soumettre à la mort, pour Norbert à la vie et à l'amour qui ne font qu'un : chacun doit rendre son tribut à la nature, nul n'a le droit de s'ensevelir vivant. Norbert est frappé par le délire pour avoir tenté de transgresser les lois naturelles. Ne voyant et n'entendant plus rien, ne parlant que langues mortes, il était, avant de retrouver Zoé, un véritable mort vivant. Zoé, déesse de la végétation, vouée au culte du soleil, le ressuscite. Mais accepter de vivre, c'est en même temps accepter de mourir le moment venu. La plus belle des femmes est aussi la mort : « Les grandes déesses, mères des peuples orientaux, semblent ainsi toutes avoir été aussi bien procréatrices que destructrices, déesses de la vie et de la génération aussi bien que déesses de la mort. » (*Le thème des trois coffrets*.)

La pluralité des codes

Donner cette interprétation du texte de Jensen n'est pas réfuter celle de Freud ni s'élever contre une interprétation de type psychanalytique puisque c'est encore Freud qui nous a permis et même incité à la faire. Mais cette lecture tient compte de la totalité du texte. Celle-ci permet de comprendre, mieux que ne le fait le résumé, pourquoi Norbert est un enterré vivant : la tradition familiale a coupé les ailes de son désir, l'a, tel le canari, mis en cage dès la naissance. Traduit en langage analytique : Norbert est né castré. Curieusement, Freud néglige un ensemble d'indication allant dans ce sens. Certes, à la fin du résumé, à propos du rêve où Norbert se voit capturé comme un lézard par Zoé, Freud suggère une interprétation mettant en lumière le masochisme du personnage. Mais il ne s'y arrête pas et il passe sous silence l'apparition du lézard dès les premiers fantasmes de Norbert : déjà, c'était à l'approche de la pompéenne que le lézard s'enfuyait sous les dalles. Le texte suggère aussi un rapprochement entre le père de Zoé, chasseur de lézards, délaissant sa fille, et celui de Norbert, l'ayant voué, avant même sa naissance « à augmenter le lustre du nom de son père en suivant la même voie » (p. 24.) Passivité homosexuelle de Norbert à l'égard de son père, passivité à l'égard de Zoé avec laquelle il échangeait des bourrades pendant l'enfance. L'identification inconsciente entre la mouche et la femme suggère que Norbert a été agressé par Zoé beaucoup plus qu'il ne le souhaitait et qu'il ne l'agressait lui-même. Guérir pour lui, c'est être capable de l'agresser à son tour, de tuer par une tape la mouche qui se trouve sur la main de la jeune fille (p. 168). Guérir, c'est posséder un chasse-mouche. Les mouches produisent sur lui le même effet que l'apparition de Gradiva, la paralysie : « Contre la mouche ordinaire, il n'y avait aucun moyen de protection et elle troublait, elle paralysait, elle égarait enfin chez l'homme l'intelligence, la puissance de

travail et de pensée, tous les élans supérieurs et tous les sentiments sublimes (...) Comme le scacciamosche étrusque — un
manche de bois auquel était attaché un paquet de fines lanières
de cuir — en donnait la preuve, elles avaient déjà chassé de la
tête d'Eschyle les pensées poétiques les plus sublimes (...) Norbert
pensa, dans le plus profond de son être, qu'il fallait avant tout
évaluer le mérite d'une homme au nombre de mouches qu'il avait
pu sa vie durant (...) assommer, transpercer, brûler et anéantir
par de quotidiennes hécatombes. Mais ici, pour conquérir cette
gloire, l'arme nécessaire lui manquait et de même que le plus
grand héros de l'antiquité, demeuré seul, n'aurait pu faire autrement que de fuir devant les adversaires vulgaires, mais qui lui
étaient cent fois supérieurs par le nombre, de même Norbert
décampait. » (Pp. 40-41.) En voyant Gradiva, et en particulier, sa
démarche, il est cloué sur place (cf. p. 55 et 95). Freud néglige
de rapporter les fantasmes de Norbert à propos des marchandes de
fruits de Pompéi, allant aussi dans le sens d'une peur devant la
femme qui séduit et capture : « Au coin d'une rue, une femme
assise offrait aux acheteurs des légumes et des fruits dans des cor-
beilles. Elle avait enlevé l'une des coques d'une demi-douzaine de
grandes noix pour attirer les chalands en montrant que l'intérieur
de ses fruits était irréprochable et frais (...) Au milieu de tout cela,
Gradiva marchait sur des dalles espacées en faisant fuir un lézard
vert et or. » (P. 13.) Enfin s'il est vrai que le nom « Gradiva »,
inventé par le héros, peut être interprété comme la traduction
du nom allemand Bertgang, il n'en est pas moins vrai qu'il
s'agit là de l'épithète d'un dieu guerrier, Mars Gradivus (p. 183.)
Jensen souligne le caractère singulier du rapprochement entre
une jeune fille et un dieu viril. Gradiva serait analogue à la
vierge guerrière, Athéna, celle dont les hommes n'osaient approcher, de crainte d'être paralysés par la tête de Méduse gravée
sur la cuirasse [20]. Médusé par Zoé dans l'enfance, transformé par
elle en pierre, Norbert la métamorphose à son tour en une statuette de pierre, ce dont témoigne un de ses rêves. Rêve effroyable

---

20. Cf. *L'Organisation génitale infantile* (1923 in *La vie sexuelle*, pp. 115-116.

et terrifiant où, une fois de plus, il fuit devant les flammes rouges du cratère et où il voit la jeune fille se changer en une statuette de marbre (p. 17). Freud déclare lui-même que l'image de pierre est la « pierre angulaire du récit » (p. 177). Pierre, symbole du froid, de la mort, de la surdité, de l'hallucination négative dont est frappé Norbert [21], mais aussi de la castration et de la défense contre la castration [22]. Peut-être devrait-on mettre en rapport la paralysie devant l'apparition de la femme et la fascination par la position verticale du pied de Gradiva. Freud ne tire aucune conséquence de cette position spéciale du pied, détail souligné à maintes reprises par Jensen. Il omet aussi de rappeler que Norbert avait dû recourir à un ami pour savoir si la démarche féminine se distinguait de la masculine : ces omissions ont pour cause le refus d'interpréter le comportement du héros dans un sens fétichiste : telle eût été la lecture de la psychiatrie traditionnelle dont la monographie est fondée sur le contenu du délire (pp. 176-177). Si l'on rapproche les différents éléments du texte peu soulignés par Freud, on peut supposer que Norbert a dû s'éloigner de Zoé pendant la période phallique de son développement. La question qui l'angoisse pendant sa crise délirante peut être interprétée comme étant celle de savoir si Gradiva possède ou non un pénis ; la question de type obsessionnelle : Gradiva est-elle ou non vivante, « est-elle un être réel ou un fantôme ? », n'est que le déplacement d'une question de type hystérique : « est-elle homme ou femme ? » Le désir lancinant de savoir est une sublimation du désir de voir et de toucher le sexe féminin, désir de toucher ce qui ne se voit pas de loin, mais qui existe peut-être [23]. « Le problème de l'essence corporelle de Gradiva, qui le hante durant cette journée, ressortit incontestablement à une curiosité érotique du jeune homme pour le corps de la femme. » (P. 224.) Ce que ne souligne pas Freud c'est

---

21. Cf. pp. 25, 113, 132, 207.
22. Cf. *La tête de Méduse* (1922) in *S.E.* XVIII, p. 173. G.W. XVII, p. 47.
23. Cf. p. 16-22 où Norbert ayant aperçu un jour la démarche de Gradiva, en haut et de loin, eut du mal à la reconnaître en toute certitude.

que ce qui angoisse avant tout Norbert c'est, s'il s'avisait de toucher la main de la jeune fille, la crainte de rencontrer le vide, le rien : « L'idée dominante chez Norbert était que, s'il la touchait, s'il essayait de mettre sa main sur la sienne, il ne rencontrerait que le vide. » (P. 81 de Jensen.) « Sitôt ce coup porté, un vif embarras s'empara de lui en même temps qu'une joyeuse terreur. Il n'avait pas frappé à travers le vide, il n'avait pas trouvé non plus une chose froide et engourdie, mais sans aucun doute une véritable main humaine, chaude et vivante. » (P. 99.)

Cherchons-nous à reprocher à Freud d'avoir mal lu le texte et de ne pas avoir su l'interpréter, d'avoir oublié de tout dire ? Voulons-nous apporter un supplément d'interprétation ?

Non, car Freud sait très bien que la conduite du héros pourrait s'interpréter en mettant l'accent sur le masochisme : en témoignent les remarques finales de l'étude. Mais il refuse d'approfondir pour marquer, dit-il, la distance qui sépare personnages fictifs et personnages réels : « Arrêtons-nous, sans quoi nous risquerions d'oublier que Hanold et Gradiva ne sont que les créations d'un romancier. » C'est là plus une boutade qu'une explication convaincante, puisque toute l'étude de Freud a voulu, au contraire, effacer une telle opposition. En refusant, à la fin de son travail, de développer un nouveau point de vue, tout en le suggérant, Freud veut plutôt montrer que l'interprétation, qu'elle soit celle d'êtres réels ou fictifs, est toujours hypothétique et ne saurait prétendre à l'exhaustivité : elle est appel à d'autres interprétations. Le psychanalyste ne détient ni la clef de l'œuvre ni la vérité : il n'est pas Zoé. Il peut seulement rendre intelligible un objet théorique, construit par sa science. En suggérant le caractère partiel de sa lecture, Freud ouvre le texte à d'autres lectures, met en garde contre une lecture dogmatique et réductrice. L'interprétation de Freud est une réécriture du texte de Jensen, un nouveau jeu, un nouveau roman, même si c'est l'auteur qui, dans une certaine mesure, a fourni le texte et le commentaire.

La double entente

Freud pourtant privilégie l'interprétation analytique donnée sur toute autre. Contre-épreuve de sa vérité : l'emploi tout particulier des mots et des discours à double entente dans le texte de Jensen : « Nous serions ainsi parvenus à démêler encore le sens du deuxième rêve. Tous deux sont devenus accessibles à notre compréhension, à condition d'admettre ces deux principes : que le dormeur, dans sa pensée inconsciente, sait tout ce que le conscient a oublié, et que l'inconscient juge avec rectitude ce que le conscient dans son délire méconnaît. A ce propos, nous avons dû avancer quelques affirmations qui, étrangères au lecteur, ont dû par suite lui sembler étranges et nous faire soupçonner d'exposer notre point de vue à la place de celui du romancier. Nous voulons nous attacher à dissiper cette suspicion, et c'est pourquoi nous allons examiner de plus près le point le plus épineux, l'emploi de mots et de discours à double entente tels que celui-ci : Quelque part au soleil, Gradiva est assise. Toute personne ayant lu *Gradiva* a dû être frappée par la fréquence avec laquelle le romancier met dans la bouche de ses deux héros des discours à double entente. » (P. 230.)

Prédominance du discours à double entente à cause du contenu même du récit. Jensen manifesterait, une fois de plus, la parfaite compréhension qu'il aurait des processus psychiques : l'ambiguïté du langage serait seulement une annexe de la double détermination des symptômes. L'écriture double serait le symptôme d'un drame qui se joue sur une double scène. La plasticité même du matériel verbal permettrait d'exprimer clairement la double intention du discours. Mieux que les actes, celui-ci trahirait la double origine, consciente et inconsciente des symptômes : « Nous trouvons (...) dans les premières manifestations des fantasmes délirants de Hanold une double détermination, et dans ses premiers actes une dérivation de deux sources différentes. La

126

première est celle qui apparaît aux yeux mêmes de Hanold, la seconde est celle qui se dévoile à nous après examen approfondi de ses processus psychiques. » (P. 186)... « La première est comme superficielle et découvre la seconde, qui se dissimule en quelque sorte derrière elle. On pourrait dire que sa motivation scientifique sert de paravent à la motivation érotique inconsciente. » (Cf. aussi p. 187)... « Pourquoi cette prédilection frappante pour le discours ambigu dans *Gradiva* ? Elle ne nous semble pas relever du hasard mais dériver nécessairement de ce qui est à la base du récit. Elle n'est qu'une annexe de la double détermination des symptômes, en tant que les discours constituent des symtômes et que ceux-ci résultent de compromis entre le conscient et l'inconscient. A la différence près que les discours révèlent mieux que les actes cette double origine (...) » (P. 232 [24].) Le génie de Jensen serait d'avoir condensé en une même formule le langage du délire et celui de la vérité : triomphe même de l'esprit : « Le mot tel qu'il est et tel qu'il est placé dans la phrase peut, à la façon de certaines circonstances, se prêter à différents sens. Les exemples ne manquent pas. Un des premiers actes du règne de Napoléon III fut, on le sait, de confisquer les biens de la famille d'Orléans. On fit un joli jeu de mot : « C'est le premier vol de l'aigle [25]. » Le plaisir que provoque le mot d'esprit, comme celui de tout discours à double entente, est celui d'une épargne d'un effort psychique ; la condensation réalise une économie des moyens. Ainsi grâce à la double signification du mot « vol », on s'épargne d'avoir à exprimer une seconde pensée. Celle-ci disparaît sans laisser de substitut. Mais le plaisir de l'épargne n'est qu'un plaisir préliminaire permettant la levée du refoulement. Le mot d'esprit essaie de faire passer, sans avoir à le dire ouvertement, un sens interdit, érotique ou agressif. L'esprit qualifié de

---

24. *L'Homme au rats* (p. 236, P.U.F.) semble faire relever du hasard la formation des symptômes et des jeux de mots. Il faut entendre alors par hasard, contingence apparente, externe, renvoyant à une nécessité psychique : « Le hasard qui peut contribuer à la formation d'un symptôme comme les termes mêmes d'une phrase à la formation d'un mot esprit ».

25. *Le Mot d'esprit...*

tendancieux permet de « neutraliser le renoncement et de retrouver le bien perdu ». Le mot d'esprit dispense d'avoir à exprimer une seconde pensée venue critiquer la première.

Fréquente est aussi dans les rêves l'utilisation de mots qui condensent plusieurs sens autres que leur sens propre, de procédés mis en œuvre dans le mot d'esprit. La transformation par Norbert de Gradiva en une image de pierre « n'est rien d'autre que la métaphore poétique et pleine de sens de la façon réelle dont les choses se passèrent » (p. 197).

Que le récit de Jensen privilégie le langage à double entente n'est donc pas étonnant : celui-ci prédomine partout où sont à l'œuvre les processus les plus archaïques, ceux de l'inconscient insensible à la contradiction [26] et à la logique de la raison. Or, la nouvelle raconte plusieurs rêves et un de ses héros est délirant. Pourtant, le langage à double entente n'est pas le propre de Norbert. Zoé, elle aussi, personne « sage et avisée », en use abondamment. Est-ce parce qu'elle fait de l'esprit ? Quel est le statut du langage à double entente chez l'un et l'autre des deux héros ? Jensen, d'après Freud, distinguerait le discours de Norbert, équivoque à son insu, de celui de Zoé, à première vue, volontairement équivoque. Norbert n'est pas malade parce qu'il parlerait ou entendrait double mais parce qu'il parle le langage de la science, univoque, sans ambiguïté apparente. Langue morte, coupée de tout référent, langue de celui qui est sourd au désir. Apte seulement à saisir le sens conscient, le sens littéral, Norbert « se laisse égarer par une métaphore [27] », il est dans le malentendu : malentendu inévitable à cause du conflit et du clivage entre le conscient et l'inconscient. Dissociant le signifiant du

---

26. Cf. *Sens opposés dans les mots primitifs* : les mots primitifs enferment en eux deux sens dont l'un est le contraire de l'autre. Cf. notre « *Un philosophe Unheimlich* » in *Ecarts* p. 173 (Fayard) où nous analysons le rapport de ce texte avec la conception hégélienne des mots spéculatifs à double sens de la langue allemande.

27. Cf. *Le protocole de l'homme aux rats* (in « Revue française de psychanalyse », juillet 1971) et (p. 144), dans *Délire et rêves* : « Ce n'est qu'à nous que certains de ses discours semblent ambigus et contenir, en dehors du sens en rapport avec le délire, une allusion au réel et au présent. »

signifié refoulé, le propre et le figuré, Norbert trahit son état maladif par la perte d'une fonction du langage, celle de pouvoir faire des métaphores, de pouvoir faire de l'esprit, d'entendre double sans tomber dans le malentendu. Est malade celui qui ne peut plus jouer avec le langage mais est joué par lui à son insu[28]. Ainsi, Norbert part à Pompéi sur la « trace » de Gradiva (p. 138) ; il entend par là retrouver l'empreinte matérielle du pied à la démarche spécifique. De même, il rêve de Gradiva assise au soleil. Le rêve indique clairement, en toutes lettres, l'endroit où se trouve la jeune fille. Mais encore faut-il savoir lire, entendre en une seule expression plusieurs sens, ne pas s'arrêter à la lettre du texte : « La découverte de Hanold est inscrite en toutes lettres dans le contenu du songe (...) ; mais elle y est si habilement dissimulée qu'elle passe nécessairement inaperçue. Elle se cache derrière un jeu de mots à double sens : quelque part au soleil Gradiva est assise. Quelque part est hypocritement indéterminé parce qu'il donne le renseignement précis relatif au gîte de Gradiva (...) » (p. 227.) Guérir, ce sera comprendre que la trace est aussi indice d'un objet perdu, l'amie d'enfance ou la mère ; que le soleil est aussi le nom d'une auberge ignoré ou oublié ; ce sera retrouver la polysémie du langage et le pouvoir enfantin de jouer avec les mots. C'est ce que signifie la fin du récit lorsque Norbert, guéri, demande à Zoé de passer devant lui, sur les dalles, au soleil. Un sourire de connivence passe alors sur les lèvres de l'héroïne : comme par le passé, ils peuvent de nouveau jouer ensemble, se comprendre à demi-mot. Pouvoir communiquer, s'entendre avec quiconque, implique l'art de la double entente. Et c'est bien parce que la « bonne et sage » Zoé en détient la maîtrise et en use stratégiquement qu'elle a pu aider Norbert à guérir. Le romancier fait tenir à Zoé un langage double, écho des paroles de Norbert, destiné à servir de pont

---

28. Les formations de compromis dans lesquelles deux désirs contradictoires se satisfont simultanément est caractéristique des processus de pensée hystérique : une expression pour deux contraires est alors souvent forgée par le malade qui tue « pour ainsi dire deux mouches d'un seul coup » (cf. *L'Homme aux rats*, p. 222, note 1, et p. 224).

5

verbal entre le conscient et l'inconscient : « Le romancier prête ici son secours. Le lendemain, il met dans la bouche de la jeune fille le même jeu de mots. " As-tu trouvé cela au soleil qui se livre ici à de pareils tours ? " » (P. 227). Zoé joue ici le rôle de l'analyste : « Dans le traitement psychothérapique d'un délire ou d'une affection analogue, on provoque souvent chez le malade l'éclosion de pareils discours ambigus, qui constituent de fugitifs symptômes nouveaux, et l'on peut aussi soi-même être amené à en user, ce qui met souvent en éveil la compréhension du malade pour ce qui est inconscient, grâce au sens destiné à son seul insconcient. L'expérience m'a montré que ce rôle de l'ambiguïté choque au plus haut point les non-initiés et prête aux malentendus les plus profonds. » (P. 232.)

Zoé se distinguerait de Norbert en ce que ce serait en pleine conscience qu'elle userait de l'ambiguïté des termes comme de la symbolique du refoulement : « Cette disposition avec conservation du passé offre une ressemblance parfaite avec le refoulement dont Hanold possède une perception pour ainsi dire *endopsychique*. La symbolique qui joue en lui est celle même que, au dénouement, le romancier prête à la jeune fille qui, elle, en use en pleine conscience. » (P. 185.) Double entente, double science de Zoé qui intervient au moment où le héros en est à l'acmé de la crise : au moment où, lui aussi, est sur la voie de retrouver une double oreille : il est pris de vertige sous l'effet du soleil et du Vésuvio ; il est poussé vers Gradiva par un double sentiment [29] ; il s'interroge sur son essence corporelle : il est dans l'hésitation, le malaise, l'inquiétude [30] ; effet de/du double, effet d'inquiétante étrangeté, signe annonciateur d'un retour du refoulé : « Après sa fuite devant l'amour, le héros, comme nous le montre

---

29. « L'aspect de cette personne éveillait en lui un double sentiment car elle lui apparaissait à la fois comme étrangère et en même temps comme connue, comme déjà vécue, telle qu'il l'avait imaginée. » (P. 59 de Jensen).

30. « Assaut et résistance se renouvellent après chaque nouveau compromis qui n'arrive pour ainsi dire jamais à suffire à sa tâche. C'est ce que voit fort bien notre romancier et c'est pourquoi il laisse un sentiment de malaise, une inquiétude particulière, dominer son héros. »

le romancier, est en proie à une sorte de crise ; il se trouve dans une confusion et un désemparement complets, sous le coup d'un bouleversement tel qu'on en éprouve à l'acmè de ces états morbides au cours desquels aucune des puissances antagonistes n'est assez forte pour exercer sur l'autre une suprématie suffisante à fonder un *modus vivendi* solide. Ici, le romancier intervient en sauveur et en conciliateur ; il introduit à ce moment Gradiva qui entreprend la cure du délire. » (P. 210.)

L'état de crise ébranle d'autant plus Norbert qu'il est pourvu de l'esprit critique le plus exacerbé. Paradoxalement c'est cette instance critique qui le mène, par un processus psychique inévitable, à la crise : c'est poussé par elle qu'il entreprend une enquête sur la démarche de Gradiva (p. 131.) Elle exerce toute sa raillerie contre l'absurdité des couples d'amoureux se rendant en Italie (p. 136), contre celle du père de Zoé, venu de si loin pour se livrer à une activité possible chez lui (pp. 148-149). L'esprit critique du héros s'exerce à l'égard de tous et de tout, sauf de lui-même. Il a besoin de la cure entreprise par Zoé, à la fois pour que cesse de se faire entendre la voix tranchante du surmoi et pour sortir de la crise : celle-ci est déjà une étape vers la guérison, mais l'incertitude, l'oscillation peuvent aussi servir de refuge contre la réalité et à rester dans le malentendu [31].

Sortir de la crise, c'est devenir capable de bien entendre et de s'entendre. C'est opter pour un sens clair même si la condition pour parvenir à la clarté est de passer par l'ambiguïté. Etre « sage et avisé », c'est posséder double entente et double science mais au service de la « bonne » entente contre tous les malentendus. Il est nécessaire d'inventer des ponts-verbaux pour montrer la griffe de l'inconscient dissimulé dans la pseudo-clarté du discours conscient et pour remédier aux hallucinations négatives. Mais le langage à double entente semble avoir seulement une valeur didactique et stratégique. L'idéal pour Freud

---

31. « La formation de l'incertitude est une des méthodes dont la névrose se sert pour retirer le malade de la réalité et l'isoler du monde extérieur, ce qui est au fond une tendance commune à tout trouble psychonévrotique. » (*L'Homme aux rats*, p. 250.)

131

n'est-il pas, après avoir établi les liens entre le conscient et l'inconscient, de mettre fin à toute équivocité ? L'idéal n'est-il pas de remplacer chacun des éléments du texte manifeste du rêve, du délire ou du roman par le contenu latent ? « Mais cette intelligence (des pensées du rêve) si elle pouvait devenir consciente équivaudrait à la fin du délire. Sommes-nous astreints à remplacer ainsi, par des pensées inconscientes, chacun des éléments du contenu manifeste du rêve ? Strictement oui ; pour interpréter un songe réellement rêvé, nous ne devrions nous dérober à cette tâche. Le rêveur devrait alors nous renseigner de la façon la plus explicite. Evidemment, nous ne pouvons avoir les mêmes exigences à l'égard des créations du romancier. » (P. 198.)

Il est remarquable toutefois que Zoé, qui joue le rôle de thérapeute, s'en tient à un discours à double entente. Est-ce dire qu'elle n'est pas en cela un parfait analyste ? N'est-ce pas plutôt une manière de marquer qu'il ne faut pas séparer rigoureusement les deux héros, l'un le malade, l'autre, le thérapeute, « sage et avisé » ; l'un joué par son inconscient, l'autre parfaitement maître de son langage ? La stratégie de la double entente n'est peut-être pas totalement volontaire. Zoé n'use pas de l'ambiguïté pour des raisons purement thérapeutiques. Son langage peut être interprété comme un ensemble de jeux de mots tendancieux par lesquels elle exprime indirectement ses désirs érotiques et agressifs envers Norbert et son père. Le mot d'esprit lui permet de réaliser une épargne, de se procurer un plaisir substitutif de celui qui lui a été refusé dans la réalité. Ainsi, en comparant Norbert à un archéopteryx, elle forge un type de compromis où fusionnent les pensées de la folie de son ami et celle de son père auquel elle l'a identifié. Archeopteryx, monstre « qui appartient à l'archéologie de la zoologie » (p. 161), terme grâce auquel tout son ressentiment se manifeste. Par les mots à double entente que Zoé forge, « elle exprime ses intentions de thérapeute et un certain nombre d'autres plus cachées » (p. 154), qui demandent à être déchiffrées ; dans une certaine mesure, elle aussi est jouée par son inconscient et son langage porte la trace de désirs refoulés : en témoigne la précipitation de son débit lorsqu'elle rencontre par hasard à Pompéi une de ses amies en voyage de noces ; elle répond à ses questions avec volubilité et continue en sa présence à adopter un langage équivoque (cf. p. 153-154). Zoé, elle non plus, n'est pas pleinement vivante (P. 122).

Ainsi le texte de Jensen, par sa prédilection pour le langage à double entente, corrobore l'interprétation freudienne. L'ambiguïté, plus qu'une simple indétermination, implique une double détermination du discours ; elle fait intervenir un jeu de forces qui jouent sur une double scène. L'auteur, en racontant une énigme qui est celle d'un délire, cumule les raisons d'avoir à employer un langage à double entente : il est requis par la structure même du récit qui exige pour pouvoir durer que l'énigme ne soit pas immédiatement claire, que la « vérité » se dévoile progressivement ; il est, de plus, un corollaire du « contenu » du récit : il est symptomatique du psychisme des deux héros.

Il y a une sorte de complicité entre une littérature dont l'enjeu est de dévoiler une « vérité », qui dans ses récits mime l'ordre du réel, raconte des événements en relation avec des personnages, et l'interprétation psychanalytique : même si celle-ci contribue à déconstruire une telle littérature, en montrant que l'auteur, qui emploie si judicieusement les ressources du langage, peut le faire seulement parce que, lui aussi, est joué par ses processus primaires. Tant qu'un texte s'intitulera « fantaisie » ou « fiction », il y aura toujours un déchiffreur d'énigmes pour réduire le fictif au réel.

Néanmoins le texte de Jensen, s'il autorise une interprétation analytique, met en garde contre une interprétation dogmatique, réductrice. Le personnage qui y figure le rôle de l'analyste, qui détient, aux dires de Freud, la clef de l'énigme ne livre jamais celle-ci en un langage clair et rationnel. Jusqu'au bout du récit, son langage reste indécidable et s'oppose ainsi, comme par avance, à la traduction d'un texte poétique en un langage scientifique univoque. Il n'y a pas d'interprétation analytique sans contre-transfert, l'inconscient de l'analyse, comme celui de tout homme, est inéliminable. Si l'interprétation analytique d'un texte en réduit l'indécidabilité, si elle le fait passer de l'obscurité à la clarté, si elle fait éclater le pluralisme des codes au profit d'un seul, alors elle est un « supplément dangereux » : elle reste victime de l'opposition métaphysique du fou et du raisonnable, de la poésie et de la science, de la conscience et de l'inconscient. Elle prétend illégitimement, alors, faire sortir le texte de son délire, le remettre dans le droit chemin, en restituant la « bonne » entente. Faisant « parler » le texte, elle arrête le jeu de l'écriture.

La lecture de Freud, aussi nuancée, aussi polysémique soit-elle, aussi fidèle se veut-elle (mais la valeur de fidélité demanderait peut-être à être interrogée), parce qu'elle donne au texte de Jensen le statut d'un texte manifeste dont elle vise à découvrir — ou, au mieux, à construire — le contenu latent qui en serait la vérité cachée, reste ici une lecture herméneutique et thématique, tributaire du logos métaphysique et des valeurs qui lui sont liées : même si, simultanément, cette « simple glose » entame très fortement le système des oppositions et des valeurs métaphysiques.

le double
e(s)t
le diable

L'inquiétante étrangeté
de *L'homme au sable (Der Sandmann)*

A Serge Viderman

« Tu ne te feras aucune image sculptée, rien qui ressemble à ce qui est dans les cieux là-haut ou sur la terre ici-bas ou dans les eaux au-dessous de la terre. »

Exode, 20, 6.

« Dans ce livre des lois juives, il n'y a peut-être pas de passage plus sublime que ce commandement. »

KANT, *Critique du jugement*, p. 100 (Vrin)

« Quand l'art s'en tient au but formel de la stricte imitation, il ne nous donne à la place du réel et du vivant que la caricature de la vie (...). On sait que les Turcs comme tous les Mahométans ne tolèrent pas qu'on peigne ou reproduise l'homme ou toute autre créature vivante. J. Bruce, au cours de son voyage en Abyssinie, ayant montré à un Turc un poisson peint le plongea d'abord dans l'étonnement, mais bientôt après en reçut la réponse suivante : « Si ce poisson au jugement dernier, se lève contre toi et te dit : « Tu m'as bien fait un corps, mais point d'âme vivante », comment te justifieras-tu de cette accusation ? »

HEGEL, *Introduction à l'Esthétique.*

« Cet artisan n'a pas seulement le talent de faire tous les meubles, il fait encore toutes les plantes et il façonne tous les êtres vivants et lui-même ; ce n'est pas tout : il fait la terre, le ciel, les dieux, tout ce qui existe dans le ciel et tout ce qui existe sous la terre chez Hadès (...). Le nom (...) qui me paraît le mieux lui convenir est celui d'imitateur. (...) L'art d'imiter est (...) bien éloigné du vrai, et, s'il peut tout exécuter, c'est, semble-t-il, qu'il ne touche qu'une petite partie de chaque chose, et cette partie n'est qu'un fantôme (...) Le peintre n'en fera pas moins, s'il est bon peintre, illusion aux enfants et aux ignorants. (C'est) un charlatan et un imitateur qui jette de la poudre aux yeux » *.

PLATON, *Rép.*, X, 596 *c* et sq.

---

*. En allemand cette expression se traduirait : *Sand in die Augen streuen.*

Unité, multiplicité
de l'inquiétante étrangeté

L'Inquiétante étrangeté : texte dominé par une recherche qui, à aucun moment, ne s'accomplit sans être immédiatement annulée : le travail d'Eros s'y trouve toujours miné en silence par celui des pulsions de mort. Le désir déclaré de Freud est de parvenir à l'unité de sens propre à un concept, celui de l'*Unheimliche,* qui justifierait l'usage d'un mot déterminé [1]. Désir du « propre » qui réduit l'*Unheimliche* à un cas particulier d'*Heimlich* en établissant un lien de dérivation génétique entre les deux termes. Désir qui ramène les divers cas d'*Unheimlichkeit* à un seul : celui produit par le retour de quelque chose de familier qui aurait dû rester caché, secret, ne pas se manifester : ceci conformément à la définition empruntée à Schelling, la seule qui retient l'attention de Freud (cf. pp. 172-173). L'enquête est dirigée par l'espoir de trouver des exemples d'inquiétante étrangeté que tous admettraient sans contexte. Freud reconnaît être lui-même peu sensible en la matière et n'avoir pas éprouvé depuis longtemps pareil sentiment [2]. Pourtant, pour mener à bien

---

1. P. 164 de la traduction française à laquelle nous renverrons désormais en la modifiant parfois, in *Essais de psychanalyse appliquée,* Idées, N.R.F. in *G.W.,* XII, pp. 229 et sq.

Nous ne faisons pas ici une lecture d'ensemble de l'*Inquiétante étrangeté,* commencée dans notre « *Un philosophe unheimlich* » in *Ecarts* (Fayard 1973). Nous en dégageons un schéma (qui demanderait à être « compliqué » et nuancé) nécessaire pour situer la place de paradigme de *L'Homme au Sable* dans cet ouvrage.

2. On peut se demander si cette affirmation de Freud n'a pas la valeur d'une dénégation, car quelques pages plus bas (p. 188, 189) il rappelle le sentiment d'inquiétante étrangeté qu'il éprouva lorsque trois fois de suite, il se retrouva dans le quartier des prostituées d'une ville italienne, quartier qu'il voulait justement éviter.

l'entreprise, une grande sensibilité à cette qualité du sentiment serait plus favorable. Si l'on se souvient que, dans *Le Moïse de Michel-Ange,* Freud déclare prendre comme point de départ de ses analyses la forte impression que produisent sur lui œuvres littéraires ou plastiques[3], on peut se demander ce qui commande ici le désir d'intelligibilité, puisque manque la motivation habituelle.

La recherche semble avoir une visée polémique : les esthéticiens professionnels négligent l'effet d'inquiétante étrangeté, petit à-côté secondaire de l'esthétique, tout juste bon à être examiné en appendice. C'est précisément parce que l'inquiétante étrangeté est mise au rebut par une esthétique traditionnelle qui préfère s'intéresser aux « sentiments positifs, beaux, sublimes, attrayants » qu'aux « sentiments contraires, repoussants et pénibles », que la psychanalyse se doit d'y prêter une attention particulière[4]. Or, en rester à la diversité empirique de cette qualité du sentiment[5] c'est admettre qu'elle ne présente, en effet, qu'un intérêt secondaire : pour l'esthétique comme pour Freud, un sentiment n'est esthétique que s'il est universalisable en droit. Parvenir à trouver des cas produisant sur tous un effet d'inquiétante étrangeté, tenir compte en même temps de la diversité individuelle des sensibilités, tel est donc le but de Freud. Serait alors prouvé que les esthéticiens sont prisonniers des préjugés métaphysiques qui opposent radicalement le beau et le laid, l'attrayant et le repoussant, l'agréable et le pénible, etc. De plus, que les sentiments négatifs soient négligés est, pour la psychanalyse, un indice qu'ils relèvent plus particulièrement de sa compétence : la psychanalyse ne laisse aucun reste.

En retenant parmi les nombreuses définitions de l'*Unheim-*

---

3. Cf. pp. 9, 10, in *Essais de psychanalyse appliquée.*
4. Freud trouve en cela son précurseur en Morelli : « Je crois sa méthode apparentée de très près à la technique médicale de la psychanalyse. Elle aussi a coutume de deviner par des traits dédaignés ou inobservés par le rebut (refuse) de l'observation les choses secrètes ou cachées. » (*Ibid.,* p. 24.)
5. Diversité soulignée en particulier par Jentsch, le seul, non esthéticien d'ailleurs, à s'être occupé de l'inquiétante étrangeté sans pourtant en « avoir épuisé le sujet » (p. 164).

liche celle de Schelling, Freud montre que la psychanalyse a son mot à dire en la matière puisqu'elle aurait affaire à un cas particulier de retour du refoulé ; bien plus, il peut ainsi laisser soupçonner que l'inquiétante étrangeté est inséparable des sentiments esthétiques « positifs » : le plaisir esthétique, lui aussi, implique un retour de fantasmes infantiles refoulés. Si la définition de l'*Unheimliche* ne souffre pas la réciproque, si tout retour du refoulé ne provoque pas l'*Unheimlichkeit,* il n'en reste pas moins qu'une opposition radicale entre les sentiments « positifs » et les sentiments « négatifs » devient difficile à maintenir. Mieux : c'est le « rebut » des esthéticiens qui aide à comprendre la nature du sentiment esthétique « positif » : il semble que la différence entre une œuvre qui procure du plaisir et celle qui provoque l'inquiétante étrangeté réside en une différence dans le degré de « déguisement » : on pourrait dire que l'une fonctionne comme un rêve ordinaire, l'autre comme un cauchemar ; dans celui-ci la part de reconnaissance du refoulé est plus importante que dans le premier : d'où, l'angoisse du rêveur, de son surmoi qui ne peut accepter une réalisation si franche du désir. Toute œuvre d'art devrait faire naître l'inquiétante étrangeté si l'artiste n'usait de l'artifice séducteur de la beauté pour détourner l'attention du moi et l'empêcher de prendre garde au retour des fantasmes refoulés. Le plaisir dû à la prime de séduction recouvre donc le sentiment « négatif » comme il dissimule le plaisir plus profond qui compose avec lui. De plus, le sentiment « négatif », inversement, procure lui aussi du plaisir : un plaisir de l'au-delà du principe de plaisir. *L'Inquiétante étrangeté,* écrite un an avant l'*Au-delà du principe de plaisir,* a comme horizon la guerre [6], la mort, la pulsion de mort. L'inquiétante étrangeté peut donner un plaisir de type masochiste, une jouissance à partir même de ce qui angoisse ; un plaisir aussi qui relève de la pulsion de mort

---

6. Dès le début du texte Freud fait allusion à la guerre qui l'empêche de consulter à fond la littérature étrangère (p. 164).

D'une façon générale le caractère « Unheimlich » de ce texte de Freud si retors qui aboutit à reconnaître à la fiction un caractère privilégié tout en négligeant au niveau des analyses la spécificité de la littérature fait penser que s'y joue un conflit fondamental.

parce que lié au retour et à la répétition : par là il n'est aucun sentiment esthétique dans lequel la pulsion de mort ne soit impliquée. Ce que l'esthétique traditionnelle veut camoufler derrière la distinction rigoureuse de deux types de sentiment, c'est que la mort toujours déjà travaille le « positif », qu'Eros et pulsion de mort sont indissociables : tout plaisir est un plaisir « mêlé ». En prêtant à l'inquiétante étrangeté une attention autre que marginale, Freud brouille donc « étrangement » les limites du positif et du négatif.

Tout ceci Freud ne le dit pas vraiment : il le dit sans le dire. En abîme : l'union indissoluble d'Eros et de la pulsion de mort est inscrite dans le texte même de Freud, particulièrement « étrange » lui aussi.

En effet, le désir d'unité qui commande l'enquête se trouve à chaque fois battu en brèche par la nécessité d'introduire des distinctions et des divisions : même si, par quelques tours de force, Freud tente de les effacer au profit de l'unité. Dualité d'abord au niveau de la *méthode* : deux types de recherche sont utilisés : une analyse linguistique de la notion d'*Unheimliche* ; une analyse d'exemples d'effet d'*Unheimlichkeit*. Un artifice de présentation permet de ramener la dualité à l'unité, de proclamer l'unité des résultats obtenus : l'ordre d'exposition n'est pas fidèle à l'ordre d'invention, l'analyse linguistique, présentée en premier, a, de fait, été menée après l'analyse des exemples. La sélection opérée dans l'ensemble du matériel linguistique est commandée par cette dernière qui ne saurait donc servir de confirmation aux résultats obtenus par la voie linguistique.

La troisième partie de l'*Inquiétante étrangeté* répond à une suite d'objections qui pourraient faire éclater l'unité ainsi obtenue. La plus importante : la définition proposée n'admet pas la réciproque : « Peut-être est-il vrai que l'*Unheimliche* est le *Heimliche-Heimische*, c'est-à-dire l' « intime de la maison », après que celui-ci a subi le refoulement et en a fait retour, et que tout ce qui est *unheimlich* remplit cette condition. Mais l'énigme de l'inquiétante étrangeté ne semble pas être par là résolue. De toute évidence, notre proposition ne supporte pas le renversement. » (P. 200.) Une série d'exemples, peut, en effet, aller à l'encontre de la défini-

141

tion psychanalytique : tous les thèmes invoqués à l'appui sont susceptibles d'avoir des effets différents. Plus particulièrement les contes, en se plaçant d'emblée sur le terrain de l'animisme, de la toute-puissance des pensées et des désirs, ne provoquent jamais d'inquiétante étrangeté, malgré l'intervention fréquente de motifs considérés comme spécialement inquiétants. Autre objection : le facteur d'incertitude, décisif dans la définition donnée par Jentsch et éliminé dans celle de Freud, paraît difficilement négligeable si l'on remarque qu'il intervient en premier chef dans le sentiment d'inquiétante étrangeté dû à la mort.

Malgré ces objections, Freud *veut* maintenir la définition proposée sans admettre aucune restriction, aucun reste, pour les esthéticiens : « Nous voici prêts à admettre que, pour faire éclore le sentiment de l'inquiétante étrangeté, d'autres conditions encore que celles mentionnées plus haut sont nécessaires. On pourrait à la rigueur dire qu'avec ce que nous avons déjà établi l'intérêt que porte la psychanalyse au problème de l'inquiétante étrangeté est épuisé et que ce qui en reste (*das Rest*) requiert probablement d'être étudié du point de vue de l'esthétique. Mais nous ouvririons ainsi la porte au doute : nous pourrions douter de la valeur même des vues relativement au fait que l'*Unheimliche* provient du *Heimische* (de l'intime) refoulé. » (P. 202.)

Les objections tombent si l'on admet une première distinction : celle entre les œuvres de *fiction* et la vie *réelle*. La plupart des exemples infirmant la démonstration psychanalytique étaient empruntés au domaine de la fiction. Dans la *vie réelle*, l'inquiétante étrangeté dépend de conditions simples et se produit dans peu de cas. Tous, sans exception, corroborent la définition de Freud, à condition d'introduire une nouvelle dichotomie, de distinguer deux types de revenants, deux types de disparus : le disparu comme *surmonté*, le disparu comme *refoulé*. L'*Unheimliche* né du premier est moins résistant que celui qui émane du second : l'éprouve seulement qui n'a pas entièrement surmonté ses convictions infantiles concernant l'animisme, la toute-puissance des pensées, etc., et qui croit trouver dans le réel confirmation à ses anciennes croyances : la diversité individuelle de la sensibilité à l'*Unheimlichkeit* se trouve donc expliquée. Des conditions psychologiques bien précises interviennent : il faut, pour que l'inquiétante étrangeté se manifeste, « que nous ne nous sentions pas absolument sûrs de nos convictions nouvelles ». L'incertitude intellectuelle, également, se trouve, par ce biais, réintroduite. Dans la vie réelle, l'inquiétante étrangeté dépend surtout du retour du surmonté, moins du retour de complexes infantiles refoulés. Ce qui est en jeu alors n'est plus la réalité matérielle mais la réalité psychique ; il y a dans ce cas retour d'un refoulé après un refoulement effectif d'un contenu psychique et non pas abolition de la croyance en la réalité de ce contenu psychique. La distinction entre ces deux types est considérée par Freud comme *théoriquement* des plus importantes même si elle est souvent défaite dans la vie réelle où leurs limites se confondent car « les convictions primitives se rattachent profondément aux complexes infantiles et y prennent à proprement parler racine ». Par-delà les divisions se trouve donc reconstituée l'unité.

L'inquiétante étrangeté dans la *fiction* « mérite un examen à part ». Elle englobe complètement celle qui se produit dans la vie et comprend encore autre chose : supplément de fiction avec lequel la psychanalyse doit compter et avec lequel elle ne veut pas demeurer en reste. La distinction des deux types d'*Unheimlichkeit* ne peut être conservée ici sans nuances « car le domaine de l'imagination implique pour être mis en valeur que ce qu'il contient soit dispensé de l'épreuve de la réalité. Le résultat qui tourne au paradoxe en est donc que *dans la fiction bien des choses ne sont pas étrangement inquiétantes qui le seraient si elles se passaient dans la vie et que dans la fiction il existe bien des moyens de provoquer des effets d'inquiétante étrangeté qui dans la vie n'existent pas* » (p. 206 ; souligné par Freud).

Il en résulte une nouvelle distinction : entre les œuvres qui admettent dans leurs conventions les convictions animistes et celles qui prétendent s'en tenir au terrain de la réalité courante. Les premières ne produiraient pas l'inquiétante étrangeté puisqu'il n'y aurait pas débat pour savoir si « l'incroyable qui fut surmonté ne pourrait pas malgré tout être réel ». Exemple privilégié : les contes. Pourtant il ne va pas de soi et l'on peut se demander si Freud ne montre pas ici une « prédilection pour les solutions faciles et les exposés clairs » pour les besoins de la démonstration. En effet son argumentation pourrait être celle d'un rationaliste qui ignorerait tout des pouvoirs de l'inconscient, qui n'aurait pas encore surmonté la croyance en la toute-puissance du jugement et du raisonnement : « Quant au monde des contes de fée, les sentiments d'angoisse, partant les sentiments d'inquiétante étrangeté ne doivent pas y être éveillés. Nous le comprenons et c'est pourquoi nous détournons les yeux de tout ce qui pourrait provoquer un effet semblable. » (P. 210.) « Nous adaptons notre jugement aux conditions de cette réalité fictive du poète (...) Le sentiment d'inquiétante étrangeté nous est (alors) épargné. » (P. 207.)

Lorsque, par convention, l'auteur se situe sur un terrain réaliste, tout ce qui dans la vie fait naître l'inquiétante étrangeté produit le même effet dans la fiction ; effet néanmoins renforcé par la licence accordée à l'écrivain de faire « surgir des incidents qui dans la réalité ne sauraient arriver ». Mais si toute fiction, comme telle, est dispensée de l'épreuve de la réalité, la division introduite précédemment devient arbitraire : aussi l'effet d'inquiétante étrangeté obtenu dans ce cas n'est-il pas pur : le lecteur est mystifié et garde rancune à l'auteur qui fait « pour ainsi dire se trahir en nous notre superstition soi-disant surmontée. Il nous trompe en nous promettant la vulgaire réalité et en en sortant cependant ». Moyen pour l'auteur de ne pas s'attirer le ressentiment du lecteur : laisser ignorer le plus longtemps possible « quelles conventions président à l'univers qu'il a adopté ».

L'inquiétante étrangeté qui émane du retour des complexes refoulés est dans la fiction comme dans la vie la plus résistante : seule elle est reconnue sans contexte par tous. Ainsi, la réponse aux objections permet à la fois de sauvegarder l'universalité de l'effet d'inquiétante étrangeté et la diversité individuelle des réactions. Si Freud considère comme théoriquement très importante la distinction entre les deux types de « revenant », c'est que,

---

7. Les conventions des contes donnent le droit à l'adulte d'être de nouveau enfant et lui épargnent, le temps d'une lecture, l'effort de s'adapter au réel : telle est l'autre épargne réalisée constitutive du plaisir du merveilleux.

seule, elle autorise à faire d'un sentiment considéré comme négatif et négligeable, un sentiment universel tout en maintenant la
singularité individuelle.

Resterait à montrer plus précisément ce qui distingue
plaisir négatif et plaisir positif, si tous deux, lorsqu'ils sont universels, sont produits par le retour de complexes infantiles refoulés. L'*Inquiétante étrangeté* se borne à des réflexions générales sur
le pouvoir quasi magique que détient l'écrivain de provoquer à
partir du même matériel les effets les plus divers, entraînant à
sa suite un lecteur docile. Ce pouvoir constitue la seule condition
qui continue à distinguer inquiétante étrangeté dans la vie et
dans la fiction quand il s'agit de cas relevant du deuxième type :
« Les libertés de l'auteur et, à leur suite, les privilèges de la fiction
pour évoquer et inhiber le sentiment de l'inquiétante étrangeté ne
sauraient évidemment être épuisés par les précédentes remarques.
Envers ce qui nous arrive dans la vie, nous nous comportons en
général tous avec une passivité égale et restons soumis à l'influence
des faits. Mais nous sommes dociles à l'appel du poète ; par la
disposition dans laquelle il nous met, par les expectatives qu'il
éveille en nous, il peut détourner nos sentiments d'un effet pour
les orienter vers un autre, il peut souvent d'une même matière
tirer de très différents effets. » (P. 209.) Dans la fiction, l'effet
affectif est donc indépendant de la matière choisie : un même
motif peut être à l'origine de la terreur ou du rire, provoquer
l'une chez le héros, l'autre chez le lecteur : si l'auteur tourne en
ridicule le premier ou s'il en fait une description satirique,
l'identification du second ne peut avoir lieu.

Les impasses d'une lecture thématique. L'exemple de *L'homme au sable*

Si dans la polémique qui divise Freud et les esthéticiens nous
nous rangeons aisément du côté de celui-ci, sa démonstration ne
nous convainc pas pour autant car les remarques finales du texte

ont comme effet d'annuler les résultats obtenus : si à partir d'un même matériel il est possible de tirer les effets les plus divers, il devient impossible de conclure l'effet à partir du thème : choisissant la plupart de ses exemples dans la fiction, Freud ne tient pas compte de la spécificité de ce domaine admise par la suite. Son but étant de prouver l'existence de thèmes aptes à fournir un sentiment universel d'inquiétante étrangeté, il fait, des textes cités à l'appui, une lecture strictement thématique. Celle de *L'homme au sable* est à cet égard exemplaire et d'autant plus révélatrice que ce texte est destiné à servir de paradigme à tous les cas du même type : ceux où l'*Unheimlichkeit* dérive du retour de complexes infantiles, cas les plus résistants, admis par tous sans conteste. *L'homme au sable* ferait naître un effet d'inquiétante étrangeté « pur » grâce au retour du complexe de castration. Le « résumé rapide » que donne Freud de l'œuvre, la sélection qu'il y opère sont commandés par cette interprétation [8]. « Le récit rapide que nous avons fait ne laisse subsister aucun doute : le sentiment de l'inquiétante étrangeté est inhérent à la personne de l'homme au sable par conséquent à l'idée d'être privé des yeux. » (P. 180.)

« Nous oserons maintenant rapporter à l'infantile complexe de castration l'effet étrangement inquiétant que produit *L'homme au sable*. » (P. 183.) Freud n'estime pas utile de différencier ici l'impression d'inquiétante étrangeté de l'effet tragique produit par la tragédie d'Œdipe où intervient le même « thème » et qui est évoquée par lui pour justifier le passage — rapide — qu'il opère de la crainte de perdre les yeux à celle de la castration : « L'observation psychanalytique nous l'apprend : se blesser les yeux ou perdre la vue est une terrible peur infantile : cette peur a persisté chez beaucoup d'adultes qui ne craignent aucune autre lésion organique autant que celle de l'œil (...) L'étude des rêves, des fantasmes et des mythes nous a encore appris que la crainte pour les yeux, la peur de devenir aveugle, est un substitut

---

8. Cf. supra, pp. 101 et sq.

fréquent de l'angoisse de la castration. Le châtiment que s'inflige Œdipe, le criminel mythique, quand il s'aveugle lui-même n'est qu'une atténuation de la castration, laquelle, d'après la loi du talion, seule serait à la mesure de son crime. » (P. 181.)

Par l'exemple de *L'homme au sable,* Freud *veut* surtout préserver la possibilité d'un cas « pur » qui, à partir d'un thème fondamental, provoquerait à coup sûr l'inquiétante étrangeté : cette pureté distinguerait ce texte des *Elixirs du diable* [9] du même Hoffmann où de multiples motifs contribuent à faire naître l'inquiétante étrangeté : roman tellement touffu et enchevêtré que Freud renonce à en donner un extrait : (« résistance » d'un texte au résumé, fonction de la pluralité des thèmes mais aussi, peut-être, de son irréductibilité à une lecture thématique).

L'interprétation analytique de *L'homme au sable* s'oppose à celle de Jentsch selon laquelle l'essentiel de l'effet obtenu reposerait sur une « incertitude intellectuelle » née à propos de l'épisode d'Olympia : il y aurait débat pour savoir si cette « poupée » est un être vivant ou inanimé (cf. p. 175). Freud doit éliminer une telle lecture qui classerait le texte parmi les cas relevant du premier type de revenants, celui où l'effet émane du retour de croyances non entièrement surmontées : *L'homme au sable* ne pourrait alors être à l'origine d'un sentiment universel ni servir de paradigme. Afin de classer ce texte dans les exemples du second type, il s'agit de montrer que « l'incertitude intellectuelle » y joue un rôle négligeable. Tel serait le cas si l'impression qui se dégage de *L'homme au sable* était due, pour l'essentiel, au retour de la crainte infantile de castration : « Une incertitude intellectuelle dans le sens où l'entend Jentsch n'a rien à voir ici. Le doute relatif au fait qu'une chose soit animée ou non, qui était de mise dans le cas de la poupée Olympia n'entre pas en ligne de compte dans cet exemple plus significatif d'inquiétante étrangeté. » (P. 180.) Une « incertitude intellectuelle » concernant le genre littéraire n'existerait pas davantage. Si Freud reconnaît qu'un doute est possible ici, qu'il semble même avoir été voulu

---

9. Nous analysons ce roman dans un texte à paraître.

par l'auteur (ce qui suffirait à classer *L'homme au sable* dans le premier groupe ou au moins parmi les cas impurs), c'est pour déclarer aussitôt que le doute se dissipe au cours du récit et que la fin suffit à effacer tout malentendu : « Le conteur, il est vrai, fait naître en nous, au début, une sorte d'incertitude en ce sens que, non sans intention, il ne nous laisse pas deviner s'il compte nous introduire dans la vie réelle ou bien dans un monde fantastique de son intention (...) Mais au cours du récit d'Hoffmann ce doute disparaît, nous nous apercevons que le conteur veut nous faire nous-même regarder à travers les lunettes ou la satanique lorgnette de l'opticien, ou peut-être que lui-même, en personne, a regardé à travers l'un de ces instruments. La conclusion du conte montre bien que l'opticien Coppola est réellement l'avocat Coppélius et par conséquent aussi l'homme au sable. Il n'est plus question ici d'incertitude intellectuelle : nous savons maintenant qu'on n'a pas mis en scène ici les imaginations fantaisistes d'un dément derrière lesquelles nous, dans notre supériorité intellectuelle, nous pouvons reconnaître le sain état des choses, et l'impression d'inquiétante étrangeté n'en est pas le moins du monde diminuée. Une incertitude intellectuelle ne nous aidera en rien à comprendre cet effet-là. » (Pp. 180-181.)

Mais pourquoi l'homme au sable et la crainte de castration qu'il évoque serait-il un exemple plus significatif d'inquiétante étrangeté que celui de la poupée Olympia ? Premier argument, qui peut paraître étrange aujourd'hui, mais qui est lié, de toute nécessité, à un type de lecture thématique : le titre, qui domine de haut le texte et en indique le centre [10] : « Ce qui est au centre du récit a lieu à un autre moment du récit, moment en fonction duquel le conte reçoit son titre et qui est toujours repris aux endroits décisifs : c'est le motif de l'homme au sable qui arrache les yeux aux enfants. » (P. 176) [11].

---

10. Cf. Derrida (un peu partout plus particulièrement, cf. *La Dissémination*, p. 50 et ce que nous en disons dans « Un philosophe unheimlich », in *Ecarts*, Fayard, 1973 p. 188 et sq.)

11. Il est à remarquer que Freud ne signale jamais que l'homme au sable arrache les yeux aux enfants *pour en nourrir ses petits*, occul-

L'autre argument, plus sérieux, le seul qui se réfère à la
« forme [12] » du récit, consiste à dire que l'épisode d'Olympia ne
saurait provoquer l'inquiétante étrangeté à cause de la tournure
satirique du passage : « Je dois dire — et j'espère avoir l'assenti-
ment de la plupart des lecteurs de l'histoire — que le thème
de la poupée Olympia, en apparence animée, ne peut nullement
être considérée comme seul responsable de l'effet incomparable
d'inquiétante étrangeté que produit ce récit ; non, ce n'est même
pas celui auquel on peut en première ligne attribuer cet effet.
La légère tournure satirique que le poète donne à l'épisode
d'Olympia et qu'il fait servir à railler l'amoureuse présomption
du jeune homme ne favorise guère non plus cet effet. » (P. 176.)

Or, si on lit le texte d'Hoffmann et pas seulement le résumé
qu'en donne Freud, on peut se demander si l'élément satirique
intervient uniquement à ce niveau du récit (où il n'apparaît
d'ailleurs que d'une façon ponctuelle et à des fins déterminées) ;
si l'incertitude intellectuelle concernant le genre est véritablement
levée à la fin du conte ; si l'inquiétante étrangeté occasionnée par
la poupée et si celle due à l'homme au sable sont bien de nature
différente et s'il est possible de séparer les deux « thèmes ». Les
conclusions de Freud sont l'aboutissement d'une lecture thématique qui, à tort, fait l'économie de la spécificité de la fiction et
de la structure du conte : or celle-ci, dans ce récit, est particulièrement complexe et inséparable des « thèmes » traités.

---

tant par là le caractère « maternel » de cette figure, à première vue,
masculine.

12. Le formalisme n'est d'ailleurs que l'envers du thématisme : il
appartient au même système.

Les lorgnettes de l'écrivain.
L'imaginaire et le réel

Complexité du récit : il commence par un échange de lettres entre Nathanaël, Lothaire, Clara (personnages auxquels Freud ne prête guère attention) ; il continue par une adresse directe de l'auteur au lecteur ; enfin il se poursuit selon les conventions narratives plus ordinaires. La présence de plusieurs personnages qui ont sur « l'histoire » de Nathanaël un autre point de vue que le sien, parfois satirique, parfois même opposé, contribue à maintenir jusqu'au bout « l'incertitude intellectuelle ». Si la perspective de la fiancée Clara est, comme l'indique son nom, une perspective « claire », simple, réaliste ; si son point de vue est aussi celui du frère, Lothaire, et de l'entourage, point de vue sensé et raisonnable qui contraste avec celui de Nathanaël, le rêveur, le visionnaire, le fou qui confond imaginaire et réel, qui voit double ; le point de vue de Clara n'est pourtant pas décrit comme celui qui détient la vérité et le lecteur ne peut donc s'identifier à elle plutôt qu'à Nathanaël. Bien plus, une pointe satirique accompagne la présentation de la perspective réaliste et il semble que les préférences d'Hoffmann aillent à la perspective visionnaire qui est aussi la sienne : elle n'est pourtant pas, elle non plus, présentée comme un point de vue « vrai ». Que la fin du récit semble trancher en faveur de la version de Nathanaël n'est pas du tout décisif : il y a peut-être, ici, une coïncidence tout à fait « étrange » entre le fantasme et la réalité. Mais surtout, contrairement à ce qu'en dit Freud, la fin reste ambiguë, ne permet pas de lever le doute. Le résumé de Freud dit que Clara aurait vu s'avancer, du haut d'une tour où elle se trouve avec Nathanaël, une apparition singulière ; Nathanaël aurait examiné alors cette apparition à travers la lorgnette de Coppola, aurait reconnu Coppélius [13] et aurait eu une nouvelle crise délirante (cf. p. 179). Hoffmann indique seulement l'avancée d'une forme assez vague, assez indécise pour permettre à chacun d'y projeter ses fantasmes : « Les deux amoureux (...) laissaient leurs regards errer dans les forêts estompées au-delà desquelles se dressaient les montagnes bleues pareilles à une cité des géants, " Regarde ce drôle de petit buisson gris qui semble positivement s'avancer vers nous " [14]. » Nathanaël tire la lorgnette de sa poche, et c'est, plus que l'apparition de Coppélius, l'usage de cette longue vue qui est responsable du déclenchement de la crise. A travers la lorgnette c'est le visage de Clara, qu'il croyait enfin pouvoir épouser, qui lui apparaît, effrayant, véritable tête de méduse : tel qu'il l'avait imaginé dans son poème. D'où son désir de la précipiter dans le vide : « Nathanaël porta machinalement la main à sa poche, il y trouva la lorgnette de Coppola et regarda de ce côté. Clara se tenait dans le champ de la lorgnette. Alors une convulsion contracta ses artères et ses veines, pâle comme un mort il dévisageait Clara. » (P. 117.) « Nathanaël regarde Clara dans les yeux, mais c'est la mort qui le regarde avec douceur par les yeux de Clara. » (P. 77, fin du poème.)

A travers une lorgnette, on ne peut voir le réel que déformé. En allemand le mot se dit : *Perspektiv*. Les divers personnages inventés par l'écrivain sont autant de perspectives différentes sur le réel. Même l'œil de celui qui voit clair est une lunette ou une lorgnette : Coppola le marchand de lunettes les appelle « de jolis yeux ». Un œil n'est pas plus vrai qu'un autre même si un œil n'en vaut jamais un autre : certaines perspectives peuvent valoir mieux que d'autres, l'une entraîner un mariage heureux (d'où le *happy-end* concernant Clara), l'autre la folie et la mort mais aucune ne saurait être vraie. Ce qui paraît intéressant et aussi *unheimlich* dans ce texte d'Hoffmann, nietzschéen

---

13. Pour la parenté entre Coppelius et Coppola, Freud indique l'étymologie suivante. « *Coppella* : coupelle (les opérations chimiques dont son père est victime), *coppo* : orbite de l'œil (d'après une remarque de Mme Rank). *L'inquiétante étrangeté*, p. 79 note 1.

14. P. 117 de *L'homme au sable,* éd. bilingue Aubier-Flammarion à laquelle nous nous référerons désormais.

avant la lettre, c'est qu'il montre non pas qu'il y a la folie d'un côté, la raison de l'autre, mais que leurs limites ne sont pas nettement tranchées étant, l'une et l'autre, affaire de points de vue. Brouillage des limites du normal et du pathologique, de l'imaginaire et du réel, qui situe *L'homme au sable* plutôt dans les œuvres du premier type d'inquiétante étrangeté que dans celles du second. Mais la polémique empêche Freud de le reconnaître ; dans l'indécidabilité voulue par Hoffmann, il tranche en faveur de Nathanaël ; le lecteur n'est pas, dit-il, cet homme supérieur et raisonnable qu'il prétend être. Certes. Mais cela ne signifie pas que les visions de Nathanaël ne soient pas « fantaisistes ».

Or faire bouger les marges fixes, semble être pour Hoffmann la fonction essentielle de la littérature : le privilège de l'artiste est non pas d'imiter un réel préexistant mais de le représenter à travers une multiplicité de lorgnettes déformantes, chacune constitutive d'un réel différent. Chacun des personnages d'une œuvre de fiction est une projection à l'extérieur des multiples visions de l'artiste. Et Freud savait qu'Hoffmann interprétait ses personnages comme des images développées tardivement d'impressions reçues avant l'âge de deux ans et conservées dans la chambre obscure de l'inconscient [15].

Pour Hoffmann, l'écriture est une peinture qui renvoie non à un modèle externe mais interne. Elle vise à faire des portraits ressemblants sans qu'il y ait besoin de se référer à l'original pour juger de la ressemblance : double originaire qui double toujours déjà la perception, introduisant dans le réel, la folie : « Peut-être arriverai-je ainsi qu'un bon portraitiste à saisir certaines physionomies de telle façon que sans en connaître l'original tu les trouveras ressemblantes et croiras même les avoir vues de tes yeux. Peut-être, ô mon lecteur, en viendras-tu à penser qu'il n'y a rien de plus extraordinaire ni de plus fou que la vie réelle et que seul le poète est apte à la saisir dans le vague reflet qu'en renvoie un miroir insuffisamment poli. » (P. 69.)

Ainsi le portrait de Clara ne correspond pas à la description

---

15. Cf. *Moïse et le monothéisme,* p. 169 (Idées, N.R.F.)

d'un modèle réel mais est présenté comme un ensemble de perspectives : « Clara » se confond avec la série des points de vue qu'ont sur elle certaines lorgnettes et qui se recoupent plus ou moins : lorgnettes d'artistes qui doublent toujours le réel de leurs visions spécifiques : « Clara ne pouvait passer pour belle de l'avis de ceux qui font métier de juger de la beauté. Mais les architectes louaient les heureuses proportions de ses membres, les peintres trouvaient presque trop pudiques les formes de sa nuque, de ses épaules et de son sein, mais tous étaient épris de sa somptueuse chevelure de Madeleine et raffolaient de son coloris « battonien ». L'un d'entre eux, fameux fantaisiste, comparait bizarrement ses yeux à un lac de Ruysdaël où se mirent le pur azur du ciel sans nuage, les fleurs des bois et des prés et toute l'animation colorée et joyeuse d'un riche paysage. Mais les poètes et les musiciens allaient plus loin et disaient : " Quoi ! un lac ! Quoi ! un miroir ! Peut-on regarder cette jeune fille sans que son brillant regard diffuse sur nous des chants, des accords célestes et merveilleux... Si ce que nous chantons est sans valeur, c'est que nous ne valons pas cher nous-mêmes. " Voilà ce que nous lisons distinctement dans le fin sourire de Clara. » (P. 69.)

La supériorité de Clara sur Nathanaël est de comprendre qu'il n'y a de point de vue que perspectiviste : tenter de le ramener à la raison est, pour elle, le convaincre que ses visions externes renvoient à une réalité interne.

La « folie » de Nathanaël obéit aux mêmes processus que la « création » littéraire d'après Hoffmann : l'une et l'autre sont soumises à une contrainte interne attribuée à une puissance extérieure : « Sans cesse il répétait que tout homme qui se croit libre est le jouet des puissances sombres et féroces auxquelles il est vain de vouloir résister : il n'y a qu'à se soumettre humblement à ce que le sort a décidé de nous imposer. Il allait jusqu'à prétendre qu'il était fou de croire que dans les arts ou les sciences la création est un acte libre de la volonté, car l'enthousiasme nécessaire à cette création ne vient pas de nous, il est produit en nous par l'action de quelque principe supérieur qui nous est étranger. » (P. 73.)

Contrainte de l'enthousiasme qui force l'auteur à décrire aux autres ses visions intérieures étranges, magnifiques, horribles, à l'ardent coloris sans que les mots soient ici bien adéquats : « Tous les mots, tout ce qui s'exprime en paroles (...) paraissait incolore et glacial et mort. » (P. 165.) Décalage entre la parole mortelle et la vision pleine de vie qui explique la complexité structurelle du récit [16]. Hoffmann ébauche d'abord une esquisse à grands traits de sa vision intérieure : ce sont les lettres du début ; puis il ajoute des couleurs de plus en plus chaudes afin de restituer le plus fidèlement possible le « tableau jailli du cœur ». Que l'expression de la vision vivante nécessitée par la « furieuse envie de parler du fatal destin de Nathanaël » passe par l'écriture plutôt que par la parole est justifié seulement par l'absence d'auditeur.

Mais pourquoi l'esquisse initiale doit-elle prendre la forme d'un échange épistolaire ? En quoi la lettre d'une lettre diffère-t-elle de celle d'une narration sur le mode direct ? Pour Hoffmann, la forme épistolaire est ici décisive pour faire admettre au lecteur le merveilleux « ce qui n'est pas une mince besogne ». C'est donc bien la forme donnée au récit et non le thème, à lui seul, qui joue le rôle déterminant dans la production de l'effet [17]. Pour obtenir d'emblée l'inquiétante étrangeté, il faut un début qui soit impressionnant, original, saisissant. Se trouvent éliminés un début trop prosaïque : « Il était une fois... » ; un autre apte à faire naître un effet comique : « Va-t-en au diable ! s'écrie l'étudiant Nathanaël » ; commencer par un échange de lettres, évite d'avoir à trouver un début, car c'est « ne pas commencer du tout » (p. 67). Pas d'inquiétante étrangeté qui n'implique toujours déjà la répétition. De plus, la lettre dit en abîme le propre de l'écriture qui à la lettre ne commence jamais mais toujours répète d'une répétition originaire ; l'écriture double et donc triple : échange de trois lettres.

---

16. Même opposition entre la musique vivante et le langage mort dans « *Le poète et le compositeur* » : « A l'instant même de l'inspiration musicale, tous les mots, toutes les phrases lui paraîtraient insuffisants, pâles, pitoyables, et le compositeur devrait descendre de ses hauteurs afin de pouvoir mendier les nécessités de l'existence dans le monde inférieur des mots. »

17. Si l'on tient à conserver le système d'opposition forme-matière, qui se joue dans le texte de Freud.

Et cela continue. Supplémentarité de l'écriture qui appelle indéfiniment la supplémentarité parce qu'il n'y a jamais eu un modèle originaire parfaitement présent et plein, parce que, de fait, les visions intérieures « vivantes et colorées », sans l'écriture, sont vagues, imprécises, évanescentes. Si les visions étaient si riches et si vivantes, pourquoi y aurait-il appel à un double tenu pour inférieur et porteur de mort ? La mimésis est nécessaire et originaire, parce que la vie implique toujours déjà la mort et a besoin du supplément mortel pour être fixée et prendre forme. Cela Hoffmann ne le dit pas vraiment : tout en refusant une mimésis qui serait le double d'un réel externe préexistant, il semble admettre un réel interne vivant qui servirait de modèle. Mais d'un autre côté, la mort se trouve inscrite originairement dans son texte, du fait même qu'il commence par une absence de commencement. La nécessité d'écrire et pas seulement de raconter de vive voix, est essentielle, elle n'est pas un simple substitut de la parole. Elle marque la nécessité qu'a la vie de passer toujours par la mort. Ainsi, Nathanaël se demande pourquoi il écrit à Lothaire ses souvenirs d'enfance au lieu de les lui raconter, alors qu'il doit lui rendre une prochaine visite : « Pourquoi est-ce que je t'écris tout cela ? J'aurais pu te le raconter mieux et avec plus de détail oralement (...) Sache en effet que je serai chez vous dans 15 jours. » (P. 63.)

Que le contenu des lettres de Nathanaël soit des souvenirs d'enfance et des souvenirs particulièrement terrifiants n'est pas non plus indifférent à expliquer le privilège de l'écriture sur la parole. L'écrit fixe davantage que la parole ; de plus, la lettre permet à Nathanaël de jouir masochiquement de nouveau de son passé, par le menu, narcissiquement, sans crainte d'être dérangé par qui que ce soit, d'être interrompu par des remarques « terre à terre » de sa fiancée ou par des objections éventuelles de la raisonneuse Clara. Et pourtant une lettre est destinée à être lue, même si elle n'arrive pas à son destinataire : Nathanaël qui destinait sa lettre à Lothaire commet l'acte manqué très significatif de l'envoyer à Clara. La jouissance masochiste est l'envers de son sadisme : il vise, par sa lettre, à effrayer, à persécuter Clara, à rompre ses fiançailles, à apporter le chagrin et la mort.

De plus, on peut dire que, par l'écriture, Nathanaël constitue ses souvenirs plus qu'il ne se les remémore : il est impossible de distinguer le récit de ses souvenirs de celui de ses fantasmes, le récit du passé de l'imagination de l'avenir : la narration des souvenirs d'enfance est déjà de la littérature comme le poème fictif où il imagine son avenir est répétition auto-punitive du passé. L'un et l'autre ont les mêmes fonctions. D'abord celle de redonner un coloris vivant à ce qui commence à s'évanouir dans l'imagination : « La figure du hideux Coppélius, comme Nathanaël était bien forcé de se l'avouer, avait pâli dans son imagination et il lui en coûtait souvent un effort pour lui donner dans les poèmes où il jouait le rôle d'affreux épouvantail un coloris véritablement vivant. » (P. 77.)

Ensuite celle de pouvoir maîtriser, par leur répétition symbolique, les visions effrayantes ; maîtriser l'avenir par sa prévision ; mais aussi le devancer sadomasochiquement, puisque l'avenir imaginé se trouvera réalisé en une étonnante coïncidence du fantasme et de la réalité : « Il eut l'idée de prendre pour sujet d'un poème ce noir pressentiment qu'il avait que Coppélius serait fatal à son bonheur. Il peignit Clara et lui-même liés par un sincère amour, mais de temps à autre, il semblait qu'une poigne noire intervînt dans leur vie pour en arracher quelque joie à peine éclose. Le jour même où ils se présentent ensemble à l'autel apparaît l'horrible Coppélius qui touche les yeux charmants de Clara. Ils sautent aussitôt et viennent rebondir sur la poitrine de Nathanaël comme des étincelles sanglantes brûlant et consumant tout sur leur passage (...) Coppélius se saisit de Nathanaël et le précipite dans une roue de feu (etc.) (...) Tout en imaginant ce poème, Nathanaël demeurait fort calme et maître de soi, il limait et corrigeait ligne après ligne et, s'étant soumis à la contrainte du vers, il n'eut de cesse que tout ne fût parfaitement pur et harmonieux et bien agencé. Mais quand ce fut fini et qu'il relut à haute voix son poème il se sentit saisi d'horreur et d'une violente épouvante et il s'écria : « Quelle est cette voix effroyable ? » Cependant il lui sembla bientôt après que le tout était en somme un poème fort réussi et il s'imagina qu'il arriverait à enflammer l'âme frigide de Clara bien qu'il ne vît pas distinctement pourquoi il fallait enflammer Clara et à quoi servirait de l'épouvanter par des images effroyables qui prédisaient un destin affreux et destructeur de leur amour. » (P. 77.)

L'activité littéraire de Nathanaël qui éclaire, en abîme, celle d'Hoffmann lui-même, est inséparable des autres « thèmes » du récit, de l'homme au sable et de la crainte de perdre les yeux : il n'est pas indifférent que la littérature soit conçue comme une peinture, comme une littérature *visionnaire*. Elle est inséparable du rapport que le héros entretient avec les femmes : ce qu'il recherche dans leur présence, que ce soit celle de Clara ou d'Olympia, c'est qu'elles se prêtent docilement et passivement à l'écoute de ses poèmes : jouissance strictement narcissique : « Nathanaël tirait de ses tiroirs les plus secrets tout ce qu'il avait jamais écrit. Poèmes, fantaisies, visions, romans, nouvelles s'augmentaient tous les jours de toute sortes de sonnets, de stances, de canzonne envolés dans l'azur qu'il lisait à Olympia pendant des heures sans se lasser. Jamais il n'avait eu si splendide auditrice. » (P. 105.) Production littéraire débordante qui répète l'activité symbolique à laquelle Nathanaël se livrait enfant durant les absences de Coppélius : il dessinait alors l'homme au sable sous de multiples formes, partout « sur les tables, les armoires et les murs, à la craie ou au charbon » « étranges et horribles portraits » (p. 37). Activité par laquelle non seulement il maîtrise son épouvante de l'homme au sable par les caricatures dérisoires qu'il en dessine [18] mais par laquelle aussi il se torture masochiquement : plaisir qui relève de l'au-delà du principe de plaisir, très prisé par notre héros. Alors que l'homme au sable est pour lui un être effroyable, horrible, angoissant, *unheimlich,* dont, consciemment, il fuit la présence, il désire celle-ci inconsciemment : la nuit, il le fait revenir dans ses songes : « Dès que j'entendais un pas dans l'escalier, le soir, je tremblais d'angoisse et d'épouvante (...) Je courais me

---

18. Cf. Freud, *Une névrose démoniaque au XVII° s.* : « Quand le petit garçon dessine des figures grimaçantes et des caricatures, on réussit peut-être à démontrer qu'il s'y moque de son père. » Il faudrait ici rappeler l'importance qu'ont jouée, dans la vie d'Hoffmann lui-même, les caricatures.

réfugier dans notre chambre à coucher, et toute la nuit, l'horrible apparition de l'homme au sable me torturait. » (P. 37.) Relèvent du même plaisir du négatif son goût extrême pour les récits où interviennent sorcières, lutins, êtres malfaisants en tout genre ; le fait qu'il ait préféré à la version rassurante de l'homme au sable donnée par la mère celle, sadique, de la bonne. La perception du réel se trouve toujours anticipée par lui sous une forme néfaste : le double fantasmatique double le réel, lui donne sa teinture spécifique : ainsi, lorsque cherchant à apercevoir l'homme au sable, Nathanaël découvre seulement l'avocat Coppélius, il lui attribue tous les caractères effrayants du premier ; il en fait alors un portrait qui ne saurait correspondre à aucun être réel : « L'homme au sable, le redoutable homme au sable n'est que le vieil avocat Coppélius qui vient parfois déjeuner chez nous. Mais l'apparition la plus horrible n'aurait pu m'inspirer plus profonde épouvante que ce Coppélius justement. » (P. 41.)

Coïncidence entre le fantasme et la réalité parce que celle-ci est toujours structurée par le fantasme, parce que celle-ci n'a jamais été présente comme telle. Impossible donc d'établir des limites bien tranchées entre le réel et l'imaginaire : brouillage particulièrement apte à provoquer, selon Freud, l'inquiétante étrangeté (cf. p. 198).

La lecture de *L'homme au sable* ne saurait donc passer sous silence la présence de la répétition et du double sous ses formes multiples qui contribue de façon importante à l'impression d'inquiétante étrangeté. Si la crainte de perdre les yeux renforce cet effet elle n'est peut-être pas dissociable de l'effet de double, de l'activité littéraire et fantasmatique de Nathanaël. Il n'est pas besoin de se référer à la symbolique générale des rêves et des mythes pour comprendre l'angoisse qui se dégage du texte d'Hoffmann si l'on tient compte non pas d'un thème unique mais du lien qu'il entretient avec tous les autres. C'est ainsi que l'épisode d'Olympia et l'effet qu'il produit est lui aussi inséparable de l'inquiétante étrangeté due à l'homme au sable, inséparable aussi du problème du double.

L'animé et l'inanimé.
La mimésis diabolique

Pour Freud, l'effet d'inquiétante étrangeté dû à l'épisode d'Olympia serait en quelque sorte négligeable ; l'impossibilité de décider entre l'animé et l'inanimé serait une incertitude ponctuelle et l'impression d'étrangeté qu'elle occasionne bien différente de celle qui émane du reste de l'œuvre : or, la poupée n'est, elle aussi, qu'une des formes du double et l'incertitude qu'elle provoque n'est guère distincte de celle produite par le double comme littérature ou peinture : celles-ci, en tant qu'imitations, donnent elles aussi l'illusion de la vie. Ainsi Nathanaël, par le pouvoir mortel de l'écriture, à la seule lecture de ses poèmes, arrive à fondre en larmes, à effrayer Clara. La fiction a sur lui plus d'effet que la vie, se substitue progressivement à elle : simple représentant de la vie, elle finit par prendre sa place, apportant avec elle folie et mort. La littérature comme mimésis qui se substitue à la vie est une perversion de la créature qui rivalise avec Dieu : mimésis diabolique.

La raisonnable Clara, qui préfère la vie à son double, n'est pas victime de l'illusion, ne confond pas l'animé et l'inanimé : « Les esprits nuageux et brumeux ne réussissaient pas à lui plaire car sans qu'elle parlât beaucoup (...) son clair regard et son fin sourire ironique leur disaient : " Comment pouvez-vous espérer que je prenne pour des figures réelles, douées de vie et de mouvement des visions nébuleuses et vagues ? " C'est pourquoi Clara passait auprès de beaucoup de gens pour froide, insensible et prosaïque. » (P. 71.) Conformément à toute une tradition philosophique, Clara à la fois rejette le double comme inférieur à la vie, et distingue deux sortes de mimésis : une mauvaise mimésis dont les effets sont nocifs, dont les produits portent la marque du diable : ils ennuient et effraient ; une bonne mimésis, divine, apportant joie et vie : « Autrefois il avait eu un certain talent pour composer des récits gracieux et vivants qu'il écrivait et que Clara avait le plus grand plaisir à écouter ; à présent tout ce qu'il produisait avait un aspect sombre, inintelligible, informe, et bien que Clara ne le lui dit pas, il se rendait compte qu'elle n'y trouvait guère de plaisir. Rien n'était plus mortel aux yeux de Clara que le genre ennuyeux ; ses regards et ses paroles exprimaient alors une envie irrésistible de dormir. » (P. 75.)

La mauvaise mimésis fait oublier la présence vivante, celle de Clara, au profit de représentations mortes. Perversion de Nathanaël qui reste insensible aux charmes de Clara, qui préfère la fiancée morte à la fiancée de chair, qui confond les vivants et les morts. Sous l'empire du principe malin entré dans sa vie, il opère une transmutation de toutes les valeurs : c'est Clara qu'il prend pour « un automate maudit et sans vie », c'est Olympia qu'il veut épouser. L'épisode d'Olympia n'est donc pas isolable du reste : il est la réplique inversée du rapport qu'entretient Nathanaël avec Clara, comme il figure en grosses lettres, le pouvoir du double sur le héros. L'automate l'emporte sur le vivant car Nathanaël fuit la femme réelle avec laquelle il pourrait se livrer à une activité sexuelle procréatrice ; ce qu'il cherche, c'est une femme inerte et frigide, pur miroir de lui-même, qui puisse écouter ses poèmes sans protester : « O femme sublime et céleste ! (...) âme profonde où se mire tout mon être ! » (P. 97.) Narcissisme de Nathanaël qui le rend inapte à l'amour objectal, interdit. Narcissisme dont l'activité « créatrice », productrice de doubles, substitut de la procréation, est le corrélat.

Si, dans une note importante, Freud signale le narcissisme de Nathanaël, s'il voit dans Olympia un double de celui-ci, il n'en tire aucun parti pour l'interprétation d'ensemble et surtout il ne met pas en rapport ici le narcissisme, le double, avec la « création littéraire. Or c'est l'amour de Nathanaël pour ses « créatures » qui lui permet de confondre l'inanimé et l'animé ; c'est lui-même qui prête vie à son œuvre, qui prête ses *yeux* à son miroir [19] : les yeux

---

19. Cf. toute la tradition philosophique pour laquelle l'œil est le miroir de l'âme : « Chacune des figures que l'art a façonnées devient

inertes d'Olympia s'animent seulement lors de la lecture des poèmes : « Jamais il n'avait eu si splendide auditrice. Il ne la voyait ni broder, ni tricoter, ni regarder par la fenêtre, ni donner à manger à son oiseau, ni jouer avec son petit chien favori (...) Elle demeurait des heures durant le regard fixe, attaché aux yeux de son amoureux, sans bouger le moins du monde et ce regard peu à peu s'allumait et s'animait. » (P. 105.) Cette vie Nathanaël la donne à Olympia aux dépens de la sienne : Coppola ne peut fabriquer Olympia qu'en volant les yeux de Nathanaël, comme l'homme au sable est censé arracher les yeux aux enfants pour en nourrir ses petits. Les yeux sont donc, dans le conte d'Hoffmann, le principe de vie mais d'une vie artificielle, le héros ne peut créer que par la voie narcissique, celle des yeux, non pro-créer par le sexe : ce n'est pas par hasard que la lecture de ses poèmes à Clara lui sert de moyen pour l'éloigner de lui et rompre ses fiançailles. Si l'œil, dans la nouvelle, est bien un substitut du sexe, il faut entendre cette expression à la lettre et non symboli-quement. Nathanaël ne peut donner vie qu'artificiellement, en mimant la vie, en la doublant : pouvoir de représentation, de vi-sion, de division, qui est celui des pulsions de mort, non celui d'Eros. L'œil est un principe de vie diabolique ; un pouvoir maléfi-que du double. On pourrait presque dire ici, à l'inverse de Freud, que perdre les yeux, serait pour Nathanaël retrouver le sexe.

Mais Freud, qui ne tient compte du « thème » de l'œil qu'au niveau de l'épisode de l'homme au sable voit dans la crainte de perdre les yeux un substitut symbolique de l'angoisse de castra-tion : l'homme au sable serait un substitut du père castrateur qui interviendrait chaque fois en trouble-fête de l'amour. Il faut admettre pour cela une suite de dédoublements (cf. p. 182, n. 1) qui serait due à l'ambivalence du fils envers le père : le bon père serait représenté par la figure du père, le mauvais père par celles de l'homme au sable et de l'avocat Coppélius. Coppola et Spa-

un Argus aux yeux innombrables, par lesquels l'âme et l'esprit se lais-sent voir en tous les points de cette image » (Hegel, *Esthétique*).
Cf. aussi J.-J. Rousseau (*Dictionnaire de musique*) qui définit l'imitation en musique comme le fait « d'avoir l'œil dans l'oreille ».

lanzani à leur tour seraient deux figures paternelles : mais ici aucun des deux ne saurait jouer le rôle de bon père puisque Spalanzani est le complice de Coppola et fabrique avec lui des automates : l'explication de Freud demeure donc insuffisante. Le prouve aussi le fait qu'il soit contraint de dire que le désir de mort du mauvais père est refoulé et transféré sur le bon père par l'intermédiaire de Coppélius. Il passe alors sous silence le désir de tuer Coppélius qu'éprouve Nathanaël, sa tentative d'égorger Spalanzani, son envie d'écraser tous ses rivaux. Le schéma un peu simple de Freud le force à voir dans l'essai tenté par Coppélius pour dévisser bras et jambes de Nathanaël un nouvel équivalent de la castration. Cet épisode, curieux selon lui, servirait seulement à annoncer l'identité interne de Coppélius et de « son futur antagoniste, le mécanicien Spalanzani » et à prouver qu'Olympia serait la matérialisation de l'attitude passive de Nathanaël envers son père. En tout cas ce serait là « un trait singulier qui sort complètement du cadre de l'homme au sable ».

En fait ce geste de Coppélius s'inscrit très étroitement dans ce cadre et perd sa singularité si l'on admet que l'épisode d'Olympia et celui de l'homme au sable sont inséparables.

Scène primitive et magie satanique. Les artifices du diable

Lorsque Coppélius veut dévisser les bras et les jambes de l'enfant comme ceux d'une poupée, il prononce des paroles « énigmatiques » qui donnent la clef de toutes ses machinations : « Il m'empoigna violemment, me faisant craquer les articulations, il me dévissa les mains et les pieds et les revissa tantôt d'une façon tantôt de l'autre. Puis : « Ce n'est pas encore ça ! c'est bien comme c'était ! le vieux sait bien « son métier ». Ainsi chuchotait, sifflotait Coppélius entre ses dents ; mais tout autour de moi devint sombre et noir, une brusque convulsion secoua mes nerfs et mes os. Je perdis connaissance. Un souffle doux et chaud passa sur mon visage. Je m'éveillai du sommeil de la mort, ma mère se penchait sur moi » (p. 47) [20].

Les paroles prononcées par Coppélius sont celles d'un rival de Dieu (le vieux) qui constate, avec dépit, son échec dans sa tentative de faire mieux que lui. Dévisser bras et jambes, c'est, non pas castrer, mais morceler un tout vivant en le traitant comme une machine ; c'est vouloir reconstituer la vie à partir de l'inerte : tâche diabolique, vouée à l'insuccès. Le double diabolique est toujours déjà œuvre de mort, toujours déjà mort. Et la crainte de morcellement de Nathanaël est celle de mourir. Coppélius, Coppola, Spalanzani sont tous trois des créateurs de vivants artificiels, des imitateurs charlatanesques de Dieu, des Cagliostro. Les pratiques auxquelles se livrent le père de Nathanaël avec l'avocat, l'homme au sable, sont des pratiques magiques, où le feu et les transformations alchimiques jouent un rôle important : d'où dans le poème fantastique de Nathanaël, dans son délire ultérieur, de véritables visions apocalyptiques où reviennent les fantasmes de morcellement et de transformation par le feu : « Nathanaël vit (...) deux yeux ensanglantés jetés par terre et qui le regardaient. Spalanzani (...) les lui jeta. Ils le frappaient en pleine poitrine. La folie enfonça en lui ses serres brûlantes : " Hé ! hé ! hé ! roue (cercle) de feu *(Feuerkreis),* roue de feu, tourne, tourne, et gai, gai ! hop là, poupée de bois, hop, jolie poupée de bois ! ". » (P. 111 ; cf. aussi P. 119.)

Roue : « genre de supplice dans lequel, après avoir rompu un condamné on l'attachait sur une roue ; terme d'alchimie. Roue

---

20. Cf. *Le magnétisme* d'Hoffmann, où le héros fait aussi un rêve où il est démonté comme une poupée articulée et où l'on torture ses membres « par toutes sortes d'essais diaboliques. « Un démon d'anatomiste ne s'est-il pas amusé à me démonter comme une poupée articulée et torturer mes membres par toutes sortes d'essais diaboliques voulant voir par exemple quel effet produirait un de mes pieds planté au milieu du dos ou bien mon bras droit fixé dans le prolongement de ma jambe gauche ».
A rapprocher aussi des nombreuses poupées désarticulées de Bellmer.

élémentaire des sages, la révolution d'une année : la conversion des éléments » (Littré). Roue, instrument du diable : « C'est moi qui ai fait les yeux (...). — Moi les rouages. — Imbécile avec tes rouages. — Satan, arrête. — Tourneur de têtes de pipe. — Bête diabolique. » (P. 107, dialogue entre Spalanzani et Coppola.)

Qu'entre Coppélius et le père de Nathanaël se soit établi un commerce « diabolique » est l'interprétation donnée par Clara des visites mystérieuses de l'avocat. Elle attribue la mort du père au danger des pratiques alchimiques et à une négligence que celui-ci aurait commise [21] (mettant ainsi fin au clivage établi entre le bon et le mauvais père, restaurant l'ambivalence insupportable) : « Ses agissements mystérieux (*unheimliche*) la nuit en compagnie de ton père n'étaient sans doute autre chose que des pratiques secrètes (*insgeheim*) d'alchimie qui ne pouvaient plaire à ta mère car il devait y engloutir beaucoup d'argent en pure perte, sans compter que, comme il arrive, dit-on, à ces chercheurs de laboratoire, en remplissant l'esprit de ton père du désir fallacieux d'un savoir suprême, elles le détournaient de sa famille. Ton père a certainement dû être par quelque imprudence, la cause de sa propre mort et Coppélius n'en porte pas la faute. » (P. 55 ; cf. aussi P. 83.)

Unheimlich : se dit aussi de l'art occulte de la magie ; de celui qui est expert en procédés occultes, rares : Freud relève ce sens mais ne le retient pas...

Le désir fallacieux du père est celui de pouvoir fabriquer la vie à partir de la matière, de fabriquer des vivants artificiels : Spalanzani, le « père » d'Olympia, porte à une lettre près, le nom du biologiste italien, contemporain d'Hoffmann, qui le premier fit des essais de fécondation artificielle. Fécondation artificielle : celle dont le principe de vie est l'œil et non le sexe ; qui repose sur le leurre narcissique ; qui jette de la poudre aux yeux... Fécondation de l'homme au sable, du *Sandmann,* qui ensemence en « pure perte » jetant sa semence dans le sable... Semence de sable

---

21. Ce danger se trouve confirmé dans la suite du récit par l'incendie de la maison d'un pharmacien, consumant comme par hasard le logement du héros : le destin du fils répète celui du père.

(*Sand*) et non de sperme (*Same*), l'une stérile [22], l'autre fertile : à deux lettres près, semences identiques... Deux semences comme deux mimésis, l'une semant le bon grain, l'autre l'ivraie. Deux terrains aussi : l'homme au sable arrache les yeux de leurs orbites pour les transporter dans d'autres orbites : cavernes obscures (cf. p. 109), anales (?) qui miment, dans le simulacre, l'antre, le ventre fertile de la mère : la création diabolique, qui « engloutit beaucoup d'argent en pure perte », se passe entre hommes : elle ne peut donc engendrer que de l'inanimé. Mais l'erreur du diable, c'est de vouloir faire passer l'inanimé pour de l'animé, en tentant de faire mieux que nature, en réalisant une « créature » parfaite. C'est cette perfection qui paraît suspecte aux plus avisés et les empêche de tomber comme Nathanaël dans le leurre [23]. Perfection d'Olympia, bien faite de toute sa personne : traits admirables, visage régulier, taille parfaite ; rythme inflexible de sa danse. Mais cette perfection justement lui donne un aspect étrange, rigide, figé, compassé, guindé. Plus particulièrement ses yeux fixes et morts [24] la font paraître raide et sans âme : « Chacun de ses mouvements semble produit par un mécanisme d'horlogerie. Son jeu, son chant ont le rythme odieusement régulier et sans âme d'une boîte à musique et sa façon de danser est toute pareille. Cette Olympia nous lui trouvons quelque chose d'*unheimlich,* nous souhaitons nous en tenir loin, nous avons l'impression qu'elle fait semblant d'être une créature vivante et qu'il y a quelque chose de louche dans son cas. » (P. 101) : telle apparaît Olympia aux yeux de la plupart mais non à ceux de Nathanaël qui, lorsqu'il la contemple, se retrouve enfin en possession de lui-même ; par là ce personnage lui est tout à fait *heimlich* (cf. p. 103) [25].

---

22. Dans le *Poète et le compositeur* (*in Musique en jeu* 14), Hoffmann oppose le fleuve grondant de la musique au *sable stérile* des mots. (Texte que nous avons lu depuis la rédaction de cet essai.)
23. Pour Descartes déjà un des caractères qui distinguait l'animal-machine, l'automate, de l'homme, était la perfection. La comparaison ultérieure avec l'horloge est également cartésienne.
24. Cf. pp. 85, 89, 93, 95, 101.
25. L'automate qui mime la vie n'est donc, pas plus qu'aucun autre motif pris en lui-même, capable à lui seul de provoquer l'*Unheim-*

La perfection est donc l'indice qu'on a affaire à une machine qui mime la vie : perfection apparente qui masque et qui révèle son lien avec les puissances des ténèbres, avec la rigidité et la froideur de la mort [26] : les mains glacées d'Olympia rappellent celles de « la fiancée morte » de Gœthe. Fixité et rigidité cadavériques sont dans *L'homme au sable* le signe de la présence diabolique : chaque fois que Coppélius est attendu, le père prend un aspect immobile et figé (cf. pp. 35, 39) [27]. Nathanaël se sent pris « dans une gangue de pierre lourde et froide » (p. 49). A la vue de Coppola emportant sous ses bras la poupée, il se trouve pétrifié, médusé (p. 109). Epiant la scène de magie, il est glacé, pris comme par un charme. Enfin, en lisant à Clara ses poèmes sataniques, il la fige, elle aussi (p. 79). Le double, ni vivant ni mort, destiné à suppléer le vivant, à le perfectionner, à le rendre immortel comme le Créateur, est toujours « l'avant-coureur de la mort ». Il dissimule, par sa perfection, la présence de la mort. Par la création de doubles qu'il veut immortels, l'homme tente de mieux se cacher que toujours déjà la mort entame la vie : l'inquiétante étrangeté du double est due à ce qu'il ne peut pas ne pas évoquer ce que l'homme cherche en vain à oublier.

La scène à laquelle assiste Nathanaël enfant, caché derrière

---

lichkeit : différence des points de vue des étudiants et de Nathanaël, tournure satirique de l'épisode signalée par Freud : « Cette histoire d'automate s'était ancrée en eux, entraînant à sa suite une affreuse méfiance à l'égard des figures humaines, en général. Pour être bien sûr de ne pas aimer une poupée de bois, on vit certains amoureux exiger que la bien-aimée ne pût ni chanter ni danser tout à fait en mesure, qu'en écoutant une lecture elle s'occupât à broder, à tricoter (...) mais surtout qu'elle ne se contentât pas d'écouter, qu'elle parlât parfois et que ses paroles fissent supposer qu'elle était capable de penser et de sentir. » (P. 113.) D'autres récits d'Hoffmann font intervenir le thème de l'automate sous un mode comique. Un mécanisme qui mime la vie ou un vivant qui mime une machine est même pour Bergson le thème comique par excellence (cf. *Le rire*).

26. Comme la perfection formelle du poème de Nathanaël, particulièrement bien agencé, pur et harmonieux, dissimule son inspiration démoniaque.

27. Le terme allemand (*Starr*) est le même que celui utilisé pour décrire l'aspect d'Olympia.

le rideau, est tout particulièrement *unheimlich* car elle est le spectacle d'une tentative de création de la vie à partir de l'inerte : vision capable de castrer le spectateur car elle révèle le lien indissoluble de la vie et de la mort. A la procréation, Nathanaël peut alors préférer la création artistique, narcissique, produisant des doubles qu'il croit immortels : l'activité artistique de Nathanaël peut être interprétée comme une conséquence de cette vision. Mais on peut aller plus loin car la scène de magie mime dans le simulacre la scène primitive qu'elle ne peut pas ne pas suggérer : Nathanaël, aux aguets, n'assiste pas, selon ses désirs à sa propre conception, mais à celle d'un autre, pour laquelle ses yeux sont nécessaires ; création artificielle d'un double qui peut rappeler la procréation d'un frère ou d'une sœur qui vient voler à l'enfant quelque chose de fondamental. Le spectacle ne peut donc lui procurer qu'un plaisir masochiste. Que la scène de magie soit une réplique diabolique de la scène primitive on en trouve plusieurs indices dans le texte : elle a toujours lieu la nuit, d'une façon rituelle, à la même heure ; elle est liée à des bruits particuliers, pas lourds et sonores d'un homme montant l'escalier, grincements caractéristiques. La plupart des éléments se trouvent inversés : elle se passe entre deux hommes et aboutit à une création contrenature ; le père immobile et figé a un rôle passif. Les deux protagonistes se déshabillent et revêtent des vêtements « nocturnes », noirs (et non blancs). Tout se passe comme si Nathanaël curieux de détenir le savoir suprême, celui de la fabrique des enfants, y trouvait une réponse en fantasmant une création magique de type prométhéen d'où la femme se trouve exclue. Savoir interdit qui sera nécessairement puni. Ce châtiment Nathanaël l'anticipe, le prévoit toujours déjà, dans la crainte et le tremblement. Il faut lire ici tout le texte : « Au risque d'être découvert, et je me le représentais nettement, sévèrement puni, je restai là, immobile, la tête passée sous le rideau. Mon père accueillait Coppélius avec solennité : « Allons à l'œuvre ! », s'écria celui-ci d'une voix rauque et grinçante et il mit bas son habit. Mon père silencieux et sombre, ôta sa robe de chambre et tous deux revêtirent de longues blouses noires. Je ne vis pas d'où ils les avaient tirées. Mon père ouvrit la porte d'un placard à deux battants ; je vis alors que ce que j'avais longtemps pris pour un placard n'en était pas un, mais une cavité noire dans laquelle se trouvait un petit fourneau. Coppélius approcha et une flamme bleue crépita sur le foyer. Toute sorte d'étranges ustensiles gisaient là épars. Mon Dieu ! Comme mon vieux père se penchait sur le feu, il parut transformé. Une douleur affreuse et convulsive semblait avoir contracté ses traits honnêtes et doux pour en faire le masque hideux et repoussant d'un diable. Il ressemblait à Coppélius : celui-ci brandissait les pinces rougies au feu dont il se servait pour retirer de l'épaisse fumée des masses brillantes et claires qu'il martelait ensuite assidûment. Il me semblait apercevoir alentour des visages humains mais sans yeux, d'horribles cavités noires et profondes leur en tenaient lieu. « Des yeux, donnez-moi des yeux ! », criait Coppélius d'une voix sourde et grondante. Saisi d'une violente horreur je poussai un cri perçant et sortant de ma cachette, je m'abattis sur le plancher. » (P. 45.)

L'anticipation du châtiment par l'enfant ne peut être si nette que parce qu'elle évoque un châtiment plus ancien : celui subi ou fantasmé pour avoir épié ou désiré épier la scène primitive. Le père serait alors intervenu, menaçant de castration. La crainte actuelle de perdre les yeux n'est pas le substitut de celle de la castration, mais elle ne peut pas ne pas l'évoquer : elle en est la répétition autopunitive, sur un mode plus sadique, puisqu'elle est liée à la perte de la vie, au morcellement. La scène magique serait donc le retour « réel » d'une autre scène peut-être seulement fantasmée. Mais le fantasme ancien doublant toujours déjà la perception actuelle, il est difficile de discerner la part de l'un et de l'autre. Ce qui provoque l'inquiétante étrangeté ici est surdéterminé : c'est la scène de magie *unheimlich* par elle-même en tant qu'elle est liée au problème du double ; c'est le retour du fantasme de castration sous forme de celui, plus angoissant, de morcellement ; mais c'est surtout la coïncidence du réel et du fantasme.

Néanmoins on ne peut faire intervenir ici le retour de l'angoisse de castration qu'à condition d'admettre « la scène primitive » comme contenu latent de la scène de magie, texte manifeste qui suffit déjà à lui seul à produire l'inquiétante étrangeté : l'impression ne saurait donc ici être « pure ». Peut-être que, comme dans la vie réelle, il est impossible de distinguer, sinon par abstraction, l'effet dû au retour des complexes refoulés et celui qui émane de la survivance de croyances animistes : si Nathanaël est si horrifié par la perception, le fantasme d'une « création » de type magique, c'est peut-être qu'au cours de l'autre scène (qu'on peut déduire hypothétiquement du texte manifeste de la scène actuelle), lui-même aurait eu le désir de s'autocréer, de prendre la place du père. La position passive donnée au père dans la scène actuelle serait comme une riposte à l'angoisse de castration éprouvée alors pour avoir désiré l'éliminer. Le fait que la mère soit actuellement remplacée par Coppélius pourrait être mis au compte du refoulement et serait l'indice d'une forte fixation maternelle pendant la petite enfance ; tendresse pour la mère reportée ensuite sur le père pour mieux dissimuler l'hostilité première ; tendresse si forte qu'il est contraint de renoncer à la femme dans sa vie amoureuse ultérieure. Bien plus, l'horreur qu'éveille en lui la perception des cavernes noires, semble indiquer que son angoisse de castration se soit déplacée du père à la mère : c'est une femme Clara, qui porte la mort dans les yeux [28]. Et pourtant, le salut de Nathanaël ne pouvait venir que de la femme, de la mère : c'est elle qui se trouve à son chevet au sortir de ses crises délirantes ; c'est Clara qu'il imagine dans le poème le sauvant de la torture du feu. Parce qu'au cours de la scène primitive Nathanaël aurait eu un violent désir incestueux, il se serait par la suite castré lui-même en renonçant à la femme, en s'identifiant à un père fantasmé comme passif ; il aurait alors remplacé la jouissance génitale qui n'a jamais eu lieu par la jouissance narcissique, il aurait substitué l'œil au sexe. La pulsion partielle de voir désormais joue le rôle de la pulsion génitale.

---

28. Tout le conte serait comme un souvenir-écran destiné à camoufler le désir incestueux pour la mère et la menace de mort qui en résulte. La mère qui est la seule figure intègre, celle qu'il ne faut toucher à aucun prix, est pourtant l'image de la mort. Pour l'occultation par Freud du lien de l'inceste à la mort, le complexe de castration jouant le rôle de fantasme-écran, cf. R. Barande, *La pulsion de mort, comme non-transgression* (*Revue française de psychanalyse,* juin 1968).

Le voyeurisme. L'œil du diable

La crainte de perdre les yeux évoque donc bien la crainte de castration mais elle obéit aussi plus directement à la loi du talion : elle est liée à une faute dont l'œil est le principe : « Si tu as péché par l'œil, c'est par l'œil que tu seras puni [29]. »

Parce que Nathanaël n'est pas le père, à cause aussi de l'immaturité biologique, de la jouissance sexuelle il n'a pu avoir qu'une représentation et une représentation interdite [30]. L'importance du double dans la vie ultérieure renvoie à cette première substitution de l'acte par la représentation ; représentation originaire qui tient lieu d'une présence toujours déjà interdite. L'œil de Nathanaël est devenu diabolique, parce que très tôt il a été détourné de sa fonction naturelle pour se transformer en un organe de jouissance : or, lorsqu'un organe est détourné symboliquement de sa fonction il finit toujours par ne plus pouvoir s'exercer correctement : le « voyeur » d'une manière ou d'une autre perdra la vue. Déficience de la fonction visuelle chez Nathanaël marquée par son incapacité à distinguer l'animé de l'inanimé, le réel de l'imaginaire, par l'importance de ses visions : Nathanaël voit toujours double. D'où dans le texte le rôle symbolique des lunettes et des lorgnettes : celles-ci, vendues par Coppola, opèrent en véritables tentatrices. Nathanaël est mû par une irrépressible

---

29. « Puisque tu as voulu user de ton organe visuel en t'en servant pour un malin plaisir sensuel, ce n'est que justice si tu ne vois rien du tout. » Freud, « Le trouble psychogène de la vision dans la conception psychanalytique » (1910), in *Névrose, psychose, perversion*, Presses Universitaires de France. « La " punition " par privation de la vue apparaît comme le talion des tendances voyeuristes s'adressant à la mère et des fantasmes actifs de châtrer le père ou de le rendre aveugle. » Abraham, O.C., Payot, II, p. 9 et sq.

30. « La limitation de l'activité sexuelle peut augmenter la signification du voyeurisme. En place des performances sexuelles actives apparaît alors le besoin de regarder sans agir, de loin » (*ibid.*)

compulsion à regarder et le diable s'empare de lui à chaque fois qu'il regarde à travers sa lorgnette. Désir insurmontable de regarder qui le pousse à se mettre aux aguets « coûte que coûte » et à épier l'homme au sable : « Un désir germait et grandissait en moi avec les années : tâcher d'élucider moi-même le mystère, voir le fabuleux homme au sable. » (P. 37.) « Avec ma curiosité croissait mon courage et la résolution de faire coûte que coûte la connaissance de l'homme au sable. Souvent je m'échappais vivement de ma chambre et sortais dans le corridor dès que ma mère était passée mais je ne pouvais rien surprendre. Car l'homme au sable était toujours déjà entré quand j'atteignais le point où j'aurais dû l'apercevoir. Un jour enfin, poussé par une impulsion irrésistible, je résolus de me cacher dans le cabinet même de mon père (...) J'entrai vivement et me dissimulai derrière le rideau qui masquait une garde-robe. » (P. 39.) « J'avais été découvert aux aguets et maltraité par Coppélius. L'angoisse et la peur m'avaient causé une forte fièvre. » (P. 47.)

Faute originelle responsable de sa possession par le diable : « Coppélius était le principe du mal qui s'était emparé de lui au moment où il était aux aguets derrière le rideau. » (P. 73.) A l'origine de toutes ses autres fautes : son destin ultérieur est marqué par la répétition du même acte compulsionnel. Il se met aux aguets pour voir Olympia dissimulée, elle aussi, par un épais rideau et interdite aux regards (puisque, comme la mère autrefois, elle est séquestrée par le père) : « Récemment je montais l'escalier et je m'aperçus que le rideau de guipure habituellement tiré devant une porte vitrée laissait libre une étroite fente sur le côté. Je ne sais comment j'y jetai un regard curieux (...) Je me sentis gêné (*unheimlich*) et je me faufilai sans bruit dans l'amphithéâtre voisin. » (P. 63.) « Il saisit une petite longue-vue de poche très délicatement travaillée et pour l'essayer regarda par la fenêtre. Il n'avait jamais rencontré de lentille qui lui rapprochât les objets avec cette pureté, cette acuité, cette netteté (...) Involontairement il porta ses regards à l'intérieur de la chambre (...) Nathanaël était enchaîné à la fenêtre comme par un charme. » (P. 89).

Vision d'un spectacle interdit qui lui donne un sentiment de culpabilité dont les raisons se trouvent déplacées : « Clara (...) doit avoir raison de me tenir pour un stupide visionnaire mais c'est tout de même idiot plus qu'idiot, d'être maintenant tourmenté par la pensée d'avoir payé trop cher à Coppola ce télescope. Je n'en aperçois pas la raison. » (P. 91.) C'est l'usage compulsif de la lorgnette qui le fait s'éprendre d'un automate, qui est aussi à l'origine de la crise finale. Nathanaël attribue lui-même tous ses malheurs aux lunettes diaboliques : « Dès que les lunettes eurent disparu, Nathanaël se sentit apaisé et songeant à Clara, il vit bien que l'horrible cauchemar tenait à lui seul et que Coppola n'était qu'un honnête artisan, un brave opticien et nullement le double maudit, le revenant de Coppélius. » (P. 87).

Et, sur le mode de la dénégation ses malheurs sont attribués à ses yeux : « Tu te convaincras alors que, si désormais tout me paraît décoloré la faute n'en est pas à mes yeux mais à la sombre fatalité qui a réellement tendu au-dessus de ma vie un voile de nuées opaques que je ne déchirerai peut-être qu'en mourant. » (P. 47). L'homme au sable : celui qui lui ayant jeté de la poudre aux yeux l'aveugle pour le restant de ses jours ou le fait voir double ; déficience ou exagération de la fonction revient au même ; déplacement de la fonction de procréation du sexe à l'œil qui le fait engendrer des doubles dont il jouit de façon perverse ; l'imitation de la vie se substitue à la vie.

Les figures du diable

La mimésis est ici une mimésis originaire car la jouissance comme présence de la mère n'a jamais été donnée : la mère, comme l'indique l'épisode d'Olympia, n'apparaît que de loin, à la dérobée. Le père n'est pas, lui non plus, une figure une et totale à laquelle le héros puisse s'identifier. Prisonnier des doubles, Nathanaël l'est aussi, parce que toujours déjà divisé avec lui-même : le narcissisme est le seul moyen qu'il semble posséder pour conquérir son unité et s'assurer de son identité. Si le père se dédouble en d'autres personnages, c'est que le père comme tel n'existe pas. Si le « diable » est le père c'est parce que le père est toujours déjà diabolique : toujours double, et parce que double, triple ou quadruple. Le « père » appelle la supplémentarité parce qu'il n'est jamais identique à lui-même. Le diable est le pouvoir de division qui écarte le père de lui-même et des siens. Les métamorphoses du diable sont l'écho des transformations du père, jamais perçu dans la coïncidence de soi avec soi. Le père de Nathanaël est *unheimlich* parce qu'il livre de lui une double image : celle d'un être plein de vie et de présence, celle d'un être figé et immobile, distant de tous : c'est ce dernier aspect qu'il épouse quand intervient Coppélius : l'homme qui introduit au sein de la famille et de son intimité, division et différence. « En dehors du repas de midi, nous ne voyions guère notre père de toute la journée, mes frères et sœurs et moi. Il était sans doute très pris par son service. Après le dîner (...) nous nous réunissions avec notre mère dans le cabinet de mon père où nous prenions place autour d'une table ronde. Mon père fumait tout en buvant un grand verre de bière. Tantôt il nous racontait forces histoires merveilleuses et s'exaltait au point que sa pipe s'éteignait à tout instant et j'avais pour fonction de la lui rallumer avec un bout de papier enflammé, ce qui m'amusait beaucoup. Tantôt il mettait entre nos mains des livres d'images et demeurait muet et rigide dans son fauteuil, soufflant d'épais nuages de fumée dans lesquels nous flottions comme au milieu d'un brouillard. Ces soirs-là notre mère était très triste, et à peine sonnait-il neuf heures qu'elle nous disait : « Allons, enfants, au lit, au lit ! L'homme au sable va passer. » (Pp. 33-35.) L'homme au sable, c'est d'abord l'intrus qui met fin à la sécurité familiale, qui rompt l'intimité du propre et du proche : figure de l'étranger, de l'altérité qui apporte chagrin et détresse, privant de tous les plaisirs, parce que privant du père : « Dis, maman, qui est-ce ce méchant homme qui nous sépare chaque fois de papa ? » (P. 35.)

Que la séparation avec le père et l'angoisse qu'elle provoque rappelle l'angoisse plus ancienne éprouvée lorsque l'enfant était privé de la mère lors des relations sexuelles nul doute : même curiosité, mêmes angoisses dans les deux cas. De plus les transformations du père au cours des veillées sont l'écho des transformations des parents au cours de la scène primitive dont on trouve la réplique dans la scène de magie où le père est perçu comme prenant un aspect diabolique : « Comme mon vieux père se penchait sur le feu, il parut transformé : une douleur affreuse et convulsive semblait avoir contracté ses traits honnêtes et doux pour en faire le masque hideux et repoussant du diable. »

Ces transformations entraînent un doute sur l'identité paternelle : est-il bon ? est-il méchant ? Mais aussi est-il actif ? est-il passif ? homme ou femme ? Hésitation funeste à Nathanaël qui l'empêche d'adopter une position virile, qui le maintient dans le clivage. La crainte schizoïde du morcelement est liée à cette impossibilité de s'identifier à une image stable, même si elle est vécue par Nathanaël comme châtiment d'une faute actuelle et ancienne : il semble que la problématique névrotique, hystérique, de la castration, recouvre ici une problématique psychotique plus ancienne [31].

Pour Freud les dédoublements de la figure paternelle seraient dus à l'ambivalence du fils, donnant naissance simultanément au diable et au bon dieu : « Dans l'histoire de l'enfant, le père et Coppélius représentent l'image du père décomposé, grâce à l'ambivalence, en ses deux contraires [32]. »

« Le mauvais démon de la foi chrétienne, le diable du Moyen Age était lui-même selon la mythologie chrétienne, un ange déchu de même essence que Dieu. Il n'est pas besoin de grande finesse analytique pour deviner que Dieu et diable étaient identiques au début, une personnalité unique, laquelle plus tard fut scindée en deux figures douées chacune de qualités opposées. Aux temps primitifs des religions, Dieu avait lui-même tous les traits effrayants qui, par la suite, furent réunis dans son contraire. Il y a là un processus psychique qui nous est bien connu, la décomposition d'une représentation impliquant opposition et ambivalence en deux contraires violemment contrastés. Mais ces contradictions

---

31. Freud, à son tour, en mettant l'accent sur le complexe de castration comme signifié dernier, occulte l'importance de l'hypothèse de la pulsion de mort qu'il est par ailleurs en train de souligner, puisqu'*Au-delà du principe de plaisir* date de la même année.
32. *L'inquiétante étrangeté*, p. 182.

dans la nature primitive de Dieu sont un reflet de l'ambivalence qui domine dans les rapports de l'individu à son propre père (...) Le père serait par conséquent le modèle primitif et individuel aussi bien de Dieu que du diable[33]. »

Qu'il y ait ambivalence chez Nathanaël et qu'elle ait abouti à un clivage entre la bonne et la mauvaise image est certain : il tient à conserver l'image d'un père initialement bon, corrompu secondairement par le diable. Mais le clivage n'est pas parfait puisque le père est corruptible, qu'il peut se transformer en son contraire, comme les transmutations alchimiques veulent transformer l'inerte en vivant animé. Le clivage a comme but de préserver des mélanges. Ce qui caractérise Nathanaël c'est justement l'impossibilité d'avoir des limites assurées, de confondre l'animé et l'inanimé, l'homme et la femme. Ce qui l'angoisse ce n'est pas tant la dualité des caractères que le passage de l'un dans l'autre : que le même puisse devenir l'autre. L'ambivalence due à l'Œdipe se greffe sur une incapacité à supporter l'ambivalence toujours déjà existante dans le père, elle recouvre là encore une division plus originaire ; elle dissimule que l'autre écarte toujours le même de lui-même. L'ambivalence ne saurait être efficiente si elle ne rencontrait pas dans le réel une division encore plus originaire qui en est la possibilité. Le « diable » comme mauvais père trouve sa condition dans un diabolique plus originaire, principe de toute division et de tout négatif que Freud appelle pulsion de mort. Et parce que celle-ci ne saurait être identique à elle-même, parce qu'elle est toujours plurielle, elle-même différant d'avec soi, les figures du diable sont nécessairement multiples. En toute rigueur la stricte ambivalence ne saurait expliquer la multiplication des figures du mal. Or dans *L'homme au sable,* il n'est aucune figure qui n'en porte la marque : celle du père est corrompue par Coppélius ; Clara porte en elle l'image de la mort ; Nathanaël est, comme le père, divisé par le principe malin. La mère est dès le départ éliminée : Nathanaël recommande à Lothaire de ne rien lui raconter. C'est la seule dont la bonne image doive être conservée, la seule qui puisse

---

33. *Une névrose démoniaque au XVIIᵉ siècle* (1923), p. 227.

sauver le héros, la seule qui ne soit donc pas corrompue : mais elle n'est pourtant pas assez solide pour lui éviter la folie et la mort. Et peut-être ce quasi silence sur la mère est-il le signe que c'est elle qui, en dernière analyse, est le personnage le plus dangereux, parce que le plus désiré. Quant aux autres personnages ils sont les incarnations du mal et de la mort : l'homme au sable dont la semence est stérile et meurtrière ; l'avocat Coppélius dont le « métier » n'est pas choisi par hasard : il a, par le pouvoir formel et vide de l'éloquence, lui aussi, l'habitude de jeter de la poudre aux yeux grâce « à des machines de persuasion [34] » ; Spalanzani, le fabricant d'automates, qui donne le change en se faisant passer pour professeur ; Coppola, vendeur de baromètres, lunettes, lorgnettes, instruments du double et du diable, lui aussi fabricant d'automates. Chacune des figures du diable est elle-même double (au moins), fallacieuse : le pouvoir satanique de division est toujours aussi un pouvoir du simulacre dont il est la condition de possibilité ; pouvoir du double sous toutes ses formes, inséparable de la mort. Jetant tous de la poudre aux yeux, les différents représentants du diable sont eux-mêmes des caricatures de la vie : ils comportent tous quelque chose de grinçant, de grimaçant, marque de la « machine » mortelle qui fait se convulser le vivant : rire sardonique, bouche tordue, voix rauque leur donnent à tous un air de parenté, étrange et inquiétante.

L'inquiétante étrangeté des pulsions de mort dont les figures du diable sont les métaphores n'est-elle pas l'*Unheimlichkeit* par excellence, la condition de tous les autres effets du même genre ? N'est-elle pas due à un refoulé universel, le plus résistant : celui de la présence dans la vie et à l'origine de la vie, de la mort ? [35].

---

34. Cf. Kant *La critique du jugement,* 53 et 51. L'éloquence est définie par lui comme l'art de tromper par de belles apparences. L'éloquence comme pouvoir diabolique est davantage développée par Hoffmann dans *Les élixirs du diable.*

35. Dans *Au-delà du principe de plaisir,* Freud dit que toute vie tend à revenir à l'inerte, *veut* la mort, parce qu'elle a eu l'inerte comme origine.

Post-scriptum

à Philippe Lacoue - Labarthe

Je crois entendre ici le rire sardonique du diable, heureux que je sois à mon tour tombée dans ses pièges et dans ses leurres en prenant l'inanimé pour l'animé, semblable en cela aux oiseaux de Zeuxis ou au singe de Buttner. En faisant une analyse qui compliquerait seulement le schéma freudien mais qui y resterait fidèle, substituant à un signifié dernier un autre plus universel, je continuerais à confondre personnages fictifs et personnages réels ; ayant soumis l'œuvre à mon désir d'intelligibilité, je l'aurais consommé gloutonnement, sans laisser de reste, faisant preuve d'un bien mauvais goût, voire d'animalité.

De quel lieu, si ce n'est idéaliste, exploserait ce rire ? On aura reconnu les critiques faites par Hegel à la conception traditionnelle de la mimésis : le danger de l'imitation, c'est qu'elle fasse illusion et que l'insensé prétende dévorer l'œuvre d'art, méconnaissant sa fonction essentielle d'être un miroir de l'esprit, une mimésis divine, mimétologique, comme telle à respecter et à vénérer à distance.

Contre un tel geste idéaliste qui présuppose la distinction tranchée entre le vif et le mort, l'animé et l'inanimé, le fictif et le réel, qui fait de l'œuvre d'art une œuvre de pure imagination, la démarche de Freud qui traite les personnages fictifs comme s'ils étaient réels, paraît stratégiquement salutaire : instaurant un lien essentiel entre l'œuvre et le désir, entamant l'opposition de l'imaginaire et du réel, il déconstruit le caractère sacré de l'art. Hoffmann, pour qui la fonction de la littérature est de brouiller toutes les limites et toutes les marges, pour qui le réel est un double de l'imaginaire, en un certain sens, autorise une lecture de type analytique dont il est le complice.

Pourtant, Freud, d'un autre côté en faisant du texte une

lecture thématique, en dégageant un signifié fondamental, le complexe de castration, qui serait responsable de l'effet produit, semble être pris dans la « logique traditionnelle du signe », faire de l'œuvre une illustration paradigmatique d'une vérité qui lui serait extérieure et antérieure. Le texte pris à témoin est réinscrit dans le procès de la vérité analytique.

En menant, à notre tour, la lecture freudienne jusqu'au bout, en substituant les pulsions de mort au complexe de castration, avons-nous seulement remplacé un thème par un autre ou avons-nous « surmonté » un tel type de lecture ?

Si l'on admet l'hypothèse des pulsions de mort, il devient peut-être vain d'opposer castration et pulsions de mort car celles-ci deviennent la condition de celle-là qui ne saurait plus en conséquence jouer le rôle d'un thème ou d'un signifié dernier. Avec l'hypothèse des pulsions de mort, l'œuvre ne saurait plus être l'illustration seconde d'un modèle originaire au sens plein, car une telle hypothèse entame toute identité et plénitude de sens et fait du texte un double originaire [1]. Avec la notion de pulsion de mort, comprise comme un principe d'économie générale [2], à la distinction de l'imaginaire et du réel se substitue une problématique du simulacre sans modèle originaire. La littérature « diabolique » n'est plus une littérature de l'illusion ou du mensonge : elle mime le double comme illusion en donnant naissance à des « effets » de sens et de thèmes, dans le simulacre et la dérision ; elle introduit à l'intérieur du texte une structure de duplicité qui ne se laisse plus réapproprier dans une problématique de la vérité ou du mensonge ni maîtriser par elle. Ainsi, bien qu'Hoffmann, d'un côté, autorise une lecture analytique, de l'autre, par la série des dédoublements sans fin (par exemple de la figure paternelle) par la prolifération du double sous toutes ses formes, il empêche de faire

---

1. Dans l'*Enfance de l'art* (Payot 1970) nous avons montré qu'une certaine lecture de Freud permettait de voir le texte comme un double originaire, même avant 1919, avant l'hypothèse des pulsions de mort. Pourtant seule celle-ci en donne la justification théorique.
2. Cf. J. Derrida, *Freud et la scène de l'écriture* in *l'Ecriture et la différence* (Seuil).

du double un thème comme un autre, encore plus de trouver un sens dernier du texte dans le complexe de castration. En multipliant le double, il ne complique pas seulement la lecture en enchevêtrant les thèmes les uns aux autres, il fait de l'*enchevêtrement* la loi même du texte. Parce que Freud a voulu faire de *L'homme au sable* un paradigme de tous les cas où l'Unheimlichkeit dérive du retour de complexes infantiles, il a précisément oblitéré tout ce qui dans ce texte relève du double et des pulsions de mort. Tout se passe comme si Freud ne pouvait supporter l'importance de la découverte concernant les pulsions de mort et que *L'Inquiétante étrangeté* avec ses annulations successives, sa démarche tortueuse, soit comme un dernier effort pour recouvrir « le retour du refoulé » qui émerge dans la théorie, effort qui pouve une fois de plus le caractère insoutenable de l'hypothèse des pulsions de mort.

Mais pourquoi cette hypothèse est-elle si difficile à soutenir, si ce n'est qu'elle communique, d'une manière ou d'une autre, avec l'interdit de l'inceste ? A plusieurs reprises, nous avons souligné l'occultation, à la fois par Hoffmann dans le conte et par Freud dans son interprétation, de l'importance de la figure de la mère. Freud, si attentif à l'ordinaire, aux processus de renversement, en reste ici au niveau du texte manifeste du récit et, comme lui, met l'accent sur la figure du père et de ses doubles, négligeant même les détails qui pouvaient le mettre sur la voie d'une autre lecture (comme le caractère maternel de l'homme au sable qui *nourrit ses petits* des yeux arrachés aux autres enfants [3]).

Si tout le conte peut être lu comme un fantasme-écran qui camoufle le désir incestueux pour la mère et la menace de mort qui en résulte, on peut se demander si l'insistance sur l'inquiétante étrangeté du père, sur le thème du double paternel par Hoffmann ne serait pas un leurre diabolique destiné à masquer une toute autre étrangeté, celle de l'*écriture* elle-même, unheimlich

---

3. Le diable, dans ce cas, serait plus une figure de la mère que du père. Rank faisait remarquer qu'autrefois le diable était féminin (cité par A. Ehrenzweig dans *L'ordre caché de l'art.* N.R.F. 1974. Traduction cf. Claire Nancy et Francine Lacoue-Labarthe).

par excellence, parce que répétition symbolique de l'acte sexuel interdit : « Lorsque l'écriture, qui consiste à faire couler d'une plume un liquide sur une feuille de papier blanc, a pris la signification symbolique du coït ou lorsque la marche est devenue le substitut du piétinement sur le corps de la terre mère, écriture et marche sont toutes deux abandonnées, parce qu'elles reviendraient à exécuter l'acte sexuel interdit [4]. » Le thème du double aurait alors, par rapport à cette autre étrangeté, une valeur apotropaïque [5].

Comme on le voit dans *L'homme au sable* à propos de la « création » poétique de Nathanaël, l'écriture est une production diabolique, substitut de l'enfant que Nathanaël-Hoffmann aurait voulu avoir avec la mère, enfant imaginaire créé de loin, narcissiquement, par les yeux, par identification au père et à la mère, cadeau offert ultérieurement à la mère en guise de pénis substitutif. Ce qui paraît insupportable et unheimlich, c'est cette identification à la mère et à la mort dont elle est la menace, c'est cette intériorisation de la mère interdite, qu'on peut considérer comme un analogon des pulsions de mort.

On peut se demander si Freud à son tour en insistant sur le thème de la castration dans un texte qui porte essentiellement sur la littérature, dont il est bien contraint, en fin de compte, de reconnaître la spécificité en tant que fiction c'est-à-dire production qui n'est plus simple illustration de thèmes préexistants, on peut se demander si la mise en avant du thème n'est pas un moyen pour lui de maîtriser le texte, c'est-à-dire la fonction incestueuse et mortifère de l'écriture : maîtrise simultanée du texte et de la pulsion de mort. A cause peut-être de son propre désir d'écrire, de son propre désir de commettre l'inceste.

Si la fonction de tout organe est atteint lorsque sa signification sexuelle s'accroît « si cet organe se comporte alors, si l'on peut oser cette comparaison quelque peu triviale, comme une cuisinière qui ne veut plus travailler au fourneau parce que le

---

4. Freud, *Inhibition, symptôme, angoisse* (P.U.F. p. 4).
5. Cf. *La tête de Méduse*.

maître de la maison a engagé avec elle une liaison amoureuse [6] », il est peut-être, pour tout écrivain, une défense vitale :
travestir son texte, le recouvrir, le protéger par tout un faisceau
de thèmes ; ou bien s'interroger indéfiniment sur la « fabrique du
texte », ce qui peut être encore une manière de tenter de le maîtriser.

---

6. *Inhibition, symptôme, angoisse.*

table

RESUMER, INTERPRETER (Gradiva)

LE DOUBLE E(S)T LE DIABLE

L'inquiétante étrangeté de *L'Homme au sable* (Der Sandmann)

DANS LA MÊME COLLECTION

Elisabeth de Fontenay
   Les figures juives de Marx

Sarah Kofman
   Camera obscura, de l'idéologie

Jean-Luc Nancy
   La remarque spéculative

ACHEVÉ D'IMPRIMER SUR LES PRESSES DE
L'IMPRIMERIE AUBIN 86 LIGUGÉ / VIENNE
LE 30 OCTOBRE 1974

PREMIER TIRAGE : 3 200 EXEMPLAIRES

D. L., 4e trim. 1974. — Edit., 21. — Impr., 7949.
Imprimé en France